総合判例研究叢書

商　法 (7)

株　　券……………………………河 本 一 郎

有 斐 閣

商法・編集委員

鈴木竹雄
大隅健一郎

序

フランスにおいて、自由法学の名とともに判例の研究が異常な発達を遂げているのは、その民法典が百五十余年の齢を重ねたからだといわれている。それに比較すると、わが国の諸法典は、まだ若い。最も古いものでも、六、七十年の年月を経たに過ぎない。しかし、わが国の諸法典は、いずれも、近代的法制を全く知らなかつたところに輸入されたものである。そのことを思えば、この六十年の間に極めて重要な判例の変遷があつたであろうことは、容易に想像がつく。事実、わが国の諸法典は、それに関連する判例の研究でこれを補充しなければ、その正確な意味を理解し得ないようになつている。

判例が法源であるかどうかの理論については、今日なお議論の余地があろう。しかし、実際問題として、多くの条項が判例によつてその具体的な意義を明かにされているばかりでなく、判例によつて特殊の制度が創造されている例も、決して少くはない。判例研究の重要なことについては、何人も異議のないことであろう。

判例の創造した特殊の制度の内容を明かにするためにはもちろんのこと、判例によつて明かにされた条項の意義を探るためにも、判例の総合的な研究が必要である。同一の事項についてのすべての判決を探り、取り扱われた事実の微妙な差異に注意しながら、総合的・発展的に研究するのでなければ、判例の研究は、決して終局の目的を達することはできない。そしてそれには、時間をかけた克明な努力を必要とする。

幸なことには、わが国でも、十数年来、そうした研究の必要が感じられ、優れた成果も少くないようになつた。いまや、この成果を集め、足らざるを補ない、欠けたるを充たし、全分野にわたる研究を完成すべき時期に際会している。

かようにして、われわれは、全国の学者を動員し、すでに優れた研究のできているものについては、その補訂を乞い、まだ研究の尽されていないものについては、新たに適任者にお願いして、ここに「総合判例研究叢書」を編むことにした。第一回に発表したものは、各法域に亘る重要な問題のうち、研究成果の比較的早くでき上ると予想されるものである。これに洩れた事項でさらに重要なもののあることは、われわれもよく知つている。やがて、第二回、第三回と編集を継続して、完全な総合判例法の完成を期するつもりである。ここに、編集に当つての所信を述べ、協力される諸学者に深甚の謝意を表するとともに、同学の士の援助を願う次第である。

昭和三十一年五月

編集代表

小野清一郎　宮沢俊義
末川博　我妻栄
中川善之助

凡　例

一　判例の重要なものについては判旨、事実、上告論旨等を引用し、各件毎に一連番号を附した。

二　判例年月日、巻数、頁数等を示すには、おおむね左の略号を用いた。

大判大五・一一・八民録二二・二〇七七　（大審院判決録）
（大正五年十一月八日、大審院判決、大審院民事判決録二十二輯二〇七七頁）

大判大一四・四・二三刑集四・二六二　（大審院判例集）

最判昭二二・一二・一五刑集一・一・八〇　（最高裁判所判例集）
（昭和二十二年十二月十五日、最高裁判所判決、最高裁判所刑事判例集一巻一号八〇頁）

大判昭二・一二・六新聞二七九一・一五　（法律新聞）

大判昭三・九・二〇評論一八民法五七五　（法律評論）

大判昭四・五・二二裁判例三・刑法五五　（大審院裁判例）

福岡高判昭二六・一二・一四刑集四・一四・二一一四　（高等裁判所判例集）

大阪高判昭二八・七・四下級民集四・七・九七一　（下級裁判所民事裁判例集）

最判昭二八・二・二〇行政例集四・二・二三一　（行政事件裁判例集）

名古屋高判昭二五・五・八特一〇・七〇　（高等裁判所刑事判決特報）

東京高判昭三〇・一〇・二四東京高時報六・二・民二四九　（東京高等裁判所判決時報）

札幌高決昭二九・七・二三高裁特報一・二・七一　（高等裁判所刑事裁判特報）

前橋地決昭三〇・六・三〇労民集六・四・三八九　（労働関係民事裁判例集）

その他に、例えば次のような略語を用いた。

裁判所時報＝裁時　家庭裁判所月報＝家裁月報

判例時報＝判時　判例タイムズ＝判タ

目次

株券

河本一郎

判例索引

株券

河本一郎

はしがき

株券に関する総合判例研究を引き受けた当初は、除権判決についての判例ぐらいをのせておけばよいのだろうという程度の安易な気持をもつていた。まして一冊になるほどの分量になろうとはまつたく考えてもいなかつた。ところが、判例を探している間に、なかなかどうして、株券の本質に関連するものがすくなからず目につき出した。ところがそれらのなかには、あるいは民法の分野に、あるいは民事訴訟法の領域に、片足も、両足もつつこんでいるものがすくなくなく、あわててにわか勉強をしなければならない場面もあり、はては刑法の本までひつくり返すしまつになつた。そのため、原稿の枚数の割に時間をくい、それにもかかわらず、その結果は自信のないものとなつてしまつた。しかも、「株券」に関する総合判例研究とはいいながら本叢書中の「商法」の中におかれている以上、どこまでをとりこんだらよいのだろうかという疑問にもつきまとわれた。おそらく越境または不充分との非難を受けるかと思うが、株券というものの性質を明かにするためには、せめてこの程度は必要であろうと思つて、判例を取捨選択してみた。平生不勉強の分野にまであえてふみこまざるを得なかつたため、おそらくとんでもない誤解や推理の誤りをおかしているであろうことを強く心配しているのであるが、御叱正を賜われば幸である。

一　株券の性質

一　非設権証券性

株券の表彰する権利たる株主権は、会社の成立（商五七条）、または新株の発行（商二八〇条ノ九）等によつて成立し、株券は、後からこれを表彰するにすぎない。すなわち、株主権は、株券を作成することによつて始めて発生するものではない点において、手形や小切手のような設権証券ではない【1】。

【1】「株式トハ株主カ会社ニ対シテ有スル社員権ノ謂ニシテ此権利ハ之ヲ表彰スル株券ノ作成ニヨリ始メテ発生スルモノニアラス又之カ権利行使ニ付テモ必スシモ株券ノ占有ヲ要スルモノニアラス」（大判大八・六・二三民録二五・一〇八八 同旨、東京控判明四二・一一・三〇新聞六一三・一四）。

したがつて、昭和三〇年二月頃、高砂鉄工予備株券流出事件（【82】参照）として世間をさわがせた事件に見られる如く、会社の権限ある者によつて予備株券が社外に流出せしめられた場合には、いかにこれを善意で取得したとしても、取得者は有効に株主権を取得することはできない。なおこの問題は株券の偽造のところで詳論しよう。

二　有価証券性

記名株券にあつては、株券を呈示して株主名簿上の名義の書換を受ければ、その後は権利の行使に株券の占有を必要としない【1】。しかし、記名株式の譲渡には必ず株券の交付を必要とするから、通説はこの点に着眼して、記名株券も有価証券の一種であるとする。記名株式の譲渡に株券の交付を必要とすることについては、現行法下では問題はない（意思表示のみによる譲渡方法を認める立場でも、株券の交付は必要であるとする。鈴木「記名株券の特異性」大阪株懇記念論文集八六頁）【2】。

【2】「記名株式の譲渡は株券が発行された後においては、商法第二〇五条にしたがい必ず株券を譲受人に交付してこれをなすべく株券の占有移転を伴わざる株式譲渡契約は単にいわゆる債権的効果を生ずるに止まるものと解す……」（東京地判昭三〇・六・一三下級民集六・一〇九七、松岡・ジュリスト一七八号）。

これに反し、旧法下においては判例の立場は必ずしも一致していなかつた。あるものは、記名株式の移転には必ず株券の移転を伴うから、記名株券も有価証券であるとした【3】。

【3】「株式ノ移転ニハ必ス株券ノ移転ヲ伴フモノナルニ依リ株券ハ縦令記名式ノモノト雖モ之ヲ一箇ノ有価証券ト認ムルヲ相当ナリトス」（大判大八・六・二三民録二五・一〇八五、竹田・法学論叢四巻二五二頁）。

右判例が株券の有価証券性を認定するのは、そこから、株式に対する強制執行は有体動産に対すると同じく、民事訴訟五六六条以下の規定に従つて、執行吏がその株券を占有することによつてなさなければならないとの結論を引き出すためである（株券に対する強制執行の問題については一〇二頁以下参照）。

しかしまた、右判決とは反対に、記名株式の譲渡は意思表示のみによつてこれをなすことができ、株券の受授を必要としないとするものもあつた【4】。

【4】因テ按スルニ譲渡証及ヒ名義書替ノ為メノ白紙委任状ヲ記名株券ニ添附シ其株式ヲ譲渡スルトキハ爾後何人ニ転輾スルモ其譲渡ハ有効ニシテ現在ノ株券所持人ハ該白紙委任状ヲ利用シテ名義書替ヲ請求スルヲ得ルモノナルコトハ慣習上是認セラルル所ナルモ株券ヲ交付スルコトナク単ニ前示書類ヲ交付シタルノミニテ株式ノ有効ナル譲渡アリタルモノト認ムル慣習ノ存在セサルコトハ寔ニ原判決説示ノ如シ然リト雖モ斯ル慣習ナケレハトテ当然其譲渡ヲ無効ト看做スヘキ理由アルヘカラス何トナレハ株式ノ譲渡ハ株主権ノ譲渡ニ外ナラスシテ株主権ノ譲渡ハ之ヲ代表スヘキ株券ノ受授ヲ必要トスルモノニアラサルカ故ニ最初ノ譲渡人及譲受人相互

ノ間ニ在リテハ譲渡ノ意思表示アリタル一事ヲ以テ譲渡完成スヘキハ勿論斯クシテ順次他人ニ転輾シタル場合ニ於テモ最初ノ譲渡人タル株式名義人ニ於テ現在ノ譲受人ノ権利ヲ認メ其請求アルトキハ何時ニテモ株券ヲ交付シ白紙委任状ヲ利用シテ名義書替ヲ為スコトヲ承諾シタル表意アリタルモノト認ムヘキ事実アルニ於テハ直接当事者間ニアラスト雖モ株主権ノ譲渡ハ有効ニシテ最初ノ譲渡人ハ最後ノ譲受人ニ対シ書替ニ要スル株券交付ノ請求ニ応セサル可ラサレハナリ」（大判大八・一〇・一六民集二五・一八七八、竹田・法学論叢四巻六六二頁）。

学説も分れ、一方、株券の有価証券性を強調する者は、株券の引渡を要件と解し（竹田・前掲判批、同「記名株の譲渡について」法学新報二三巻八号六頁）、他方、株式の譲渡については別に方式の定めはなかつたから（明治三二年法一五〇条は「記名株式ノ譲渡ハ譲受人ノ氏名及住所ヲ株主名簿ニ記載スルニ非ザレバ之ヲ以テ会社ニ対抗スルコトヲ得ズ」と定めていたにすぎない）、当事者間の意思表示のみによつて譲渡をなしうるとする者もあつた（松本・日本会社法論二一九頁）。

三　要式証券性

株券は、法律上一定の事項を記載することが要求されているから（商二二五条）、要式証券である。しかし、法定事項の一つでも欠けたならば、株券としての効力を生じないほど厳格な要式証券ではない。例えば、会社成立の年月日・株式発行の年月日のごとく、株券の本質に関係のない事項は、その記載がなされていなくとも、株券としての効力の発生をさまたげない。しかし、記名株券に株主の氏名の記載のないことは、記名株券としての効力の発生を妨げる【5】。

【5】「判示株券ハ記名式ナルニモ拘ラス未タ番号及株主氏名ノ記載ナキコト明ナレハ記名株券ノ要件ヲ欠如セルハ勿論其外観ヨリスルモ記名株券ノ形態ヲ具備セス単ニ其用紙タルニ止ルコト顕然ナリ此ノ如キモノハ通常人ヲシテ真正ナル既発行ノ株券ナリト信セシムルニ足ラサルノミナラス権利義務又ハ事実ノ存在ヲ証明スル文書タルノ効用ヲモ有スルモノニ非ス」（大判大五・五・八評論一五刑二四八）。

もつとも、右の判例は、有価証券偽造罪に該当するかどうかが問題になつた事案であつた。しかし、記名株券たるべき形態をとつていながら、株主名の記載を全く欠くものは、刑法上、記名株券用紙にすぎず、いまだ株券でないのと同様に、私法上も、用紙にすぎないと解すべきである。また会社の商号の記載を欠く場合も、株券としての効力を生じないことはもちろんである。しかし、その記載が、正式の商号と完全に同一でなくとも、株券上の全記載内容より、商号の同一性を認識することができればよい【6】。

【6】「凡ソ株券ハ要式証券ニシテ商号ノ記載ヲ其ノ必要ノ要件トスルコトハ商法第百四十八条（現二二五条）ニ依リ明カナリ然レトモ法律ハ必ラスシモ商号カ文字通リ記載セラレアルコトヲ要求スルモノニアラス要ハ株券ノ全記載ヨリ商号ノ同一性ヲ認識シ得レハ以テ足ルモノト解スルヲ相当トス控訴会社ノ商号ハ株式会社大原館ナルトコロ当初其ノ株券トシテ発行セラレタルモノニハ総ヘテ商号ヲ大原館株式会社トシテ記載シアリタルコトハ……明カナルヲ以テ右株券ハ控訴会社ノ商号ヲ文字通リ記載シ居ラサルモ右株券ヲ……現物ニ依テ見ルニ其他ノ記載事項即チ当事者間争ナキ事実ニ依リテモ知リ得ラルル其設立登記ノ年月日資本ノ総額一株ノ金額カ記載セラレアルヲ以テ其ノ全体ノ記載ヨリ見ルトキハ右大原館株式会社ナル文字ハ控訴会社ノ商号トシテハ正確ヲ欠キタリトハ云ヘ其レトノ同一性ヲ認識シ得ラレサルニアラサルヲ以テ商号ノ記載アリタルモノトハ謂フヲ妨ケサルモノト謂フヘシ左スレハ右株券ハ有効ノモノナルコト論ヲ俟タス」（東京控判昭一二・一二・四新聞四二二二・一一）。

この判例の詳細な事実については、【48】参照。

四　商法五一九条の有価証券にはふくまれない　株券は、商法五一九条にいわゆる「金銭其他ノ物又ハ有価証券ノ給付ヲ目的トスル有価証券」には含まれない、とするのが通説である（大隅・全訂会社法論二六八頁参照）。そして、判例も一貫してこの立場に立つている。

代表的なものを次に二つ掲げよう【7】【8】。もつとも、後のものは、記名式の国庫証券に関するものではあるが、その理論は、当時の記名株券にもそのまま妥当するものであつた。

【7】「株券ハ株主権ヲ表彰スル有価証券ニシテ其株主権中ニハ会社ニ対シ利益配当ヲ請求スル権利及会社解散ノ場合ニ於ケル残余財産ノ分配ヲ請求スル権利ヲモ包含スルコトハ勿論ナルモ之ヲ以テ株券ハ商法第二百八十二条(現五一九条)ノ所謂金銭其他ノ物又ハ有価証券ノ給付ヲ目的トスル有価証券ニ該当スルモノト解スルヲ得ス」(大判大五・三・六民録二二・一七八、竹田・商法判例批評第一巻八七頁、松本・商法判例批評録九一頁)。

【8】「商法第二百八十二条（現五一九条）ハ広ク金銭其他ノ物又ハ有価証券ノ給付ヲ目的トスル有価証券ト規定スルヲ以テ一見其ノ有価証券ノ記名式ナルト否トヲ区別セサルカ如シト雖改正前ノ商法第二百八十二条ニハ第四百四十一条第四百五十七条第四百六十一条及第四百六十四条ノ規定ハ金銭其他ノ物ノ給付ヲ目的トスル指図証券ニ之ヲ準用ストアリタルヲ商法ニ於テ第四百四十九条ノ二（現小五Ⅱ）ノ新規定ヲ設ケタルカ為之ヲ準用規定ニ加フルト同時ニ「指図債権ニ之ヲ準用ス」トアリタルヲ「有価証券ニ之ヲ準用ス」ト改メタルモノナルコト明ナルヲ以テ右ノ有価証券ヲ包含スルハ勿論無記名式ノモノト同一ノ効力ヲ有スル有価証券ヲ包含スルコト疑ナシ而シテ既ニ無記名式ノモノト同一ノ効力ヲ有スル有価証券ヲ包含スル以上ハ無記名式ノ有価証券モ亦右改正ノ結果トシテ之ニ包含スルモノト解スヘキハ勿論ニシテ此ノ点ニ付テハ夙ニ当院判例（大正五年オ第八五八号同六年三月二十三日第一民事部判決参照）ノ存スル所ナリ然ラハ同条ノ有価証券ハ指図式無記名式及無記名式ノモノト同一ノ効力ヲ有スルモノノ三者ニシテ換言スレハ証券ノ裏書又ハ引渡ニ依リテ其ノ権利ノ譲渡ヲ為シ得ヘキ有価証券ヲ意味シ記名式ノ有価証券ヲ包含セシムル趣旨ニ非サルコトハ同法改正ノ趣旨ニ照シテ明瞭ナル所ナリ」(大判大一五・三・五民集五・一六四、田中・判民大正一五年度二〇事件)。

右の判例およびこれと同趣旨の多くの判例は、すべて、旧法下のものである。旧法下において、記名株券が、商法二八二条(現五一九条)にいわゆる「金銭其他ノ物又ハ有価証券ノ給付ヲ目的トスル有価証券」に含まれるかどうかは、常に、記名株券の善意取得の成否に関連して問題にされた。すなわち、昭和一三年の改正によつて、不完全ながら株券の善意取得が認められるようになつた（昭和一三年法二二九条）ときまでは、記名株券の善意取得を定めた規定は全然なかつた。しかし、周知のように、当時でも、記名株券が白紙委任状付きで流通する慣習は存在した。この慣習にしたがつて、無権利者より株券を善意で取得した者が、その有効な権利取得も根拠づけるために主張した一つの方法は、記名株券は、旧商法二八二条（現五二九条）の有価証券に属し、したがつて旧商法四一条（現小二一条）の準用を受ける、ということであつた。しかし、判例は一貫してこれを否定した。その理由の第一は、前掲【7】の判例に見られるごとく、株券は、株主権を表彰するものであつて、「金銭……ノ給付ヲ目的トスル有価証券」とはいえないことである（竹田＝松本・前掲判批も同説）。第二は、前掲【8】の判例のかかげる理由であつて、すなわち、商法二八二条（現五二九条）の沿革よりして、そこにいわゆる有価証券とは、指図証券、無記名証券および無記名証券と同一の効力を有する選択無記名証券のことであつて、記名株券や記名国債のごときはこれにはふくまれないとの理論である。後者の理由は、当時としては、一応正しいものであつたと思われる。しかし、現在は、記名株券は指図証券の一種としての性格をもつている（商二〇五条）。したがつて、前述の後者の理由によつて、これを商法五一九条の有価証券から排斥することはできない。そこで、前者の理由、すなわち、株券は会社に対する社員の法律上の地位たる株主権を表彰するものであるから、商法五一九条にいわゆる金銭その他の物又は有価証券の給付を目的とする有価証券ではないといわねばならない（大隅・全訂会社法論上二六八頁）。それ故にこそ現行商法二〇五条二項及び二二九条は、株券の裏書、善意取得について、手形法小切手法の規定を特に準用しているのである。

五　株券の代替性

同一銘柄の株券は極度に代替性をもつていることは事実である。そしてこの性質に関連する判例がいくつかあるが、まず昭和九年の大審院判例をあげよう。

上告人Aは、被上告銀行（甲銀行）に対する手形債務の担保として、その所有の乙造船所株券一〇株を差入れたが、右株券につき甲銀行は、Aの承諾なしに、第三者のために転質権（処分承諾書および白紙委任状が添付されているから、むしろ譲渡担保と解すべきであろう）を設定したところ、これを取戻し得なくなつた。そこで、同銀行は同種同額の株式を買入れ、保管し、現在に至つた。Aは甲銀行に対し本訴を提起して次のように主張した。甲銀行が質入株券を再担保とし、取戻し得なくなつた年である大正九年の同株式の最高価格を規準として、二〇株二千二百円の損害を被つたから、AはY銀行の不法行為に基いて右金額の賠償請求権を有し、この請求権を既存の手形債務と相殺する意思表示をしたから、右手形債務は消滅した。故にその不存在確認を請求する、と。原審はAを敗訴せしめたが、その理由は、株式は一般に流通性があり、その個性に重きをおくものでなく、また民法三四八条転質の規定の趣旨に照すと、債権者は債務者の承諾なしに転質し得るから、甲銀行の再質入行為によつてAの権利を侵害したものとはいえないのみならず、甲銀行はすでに同種同額の株券をもつて担保を塡補しているから、損害はすでに塡補されている、というのであつた。

Aの上告理由中、主なものは、もし甲銀行が右損害賠償義務を負わないとすれば、このような金融業者は、債務者の担保株式をその自由な時期に再担保に差入れ、または処分して巨額の金銭を取得しながら、暴落期をみて同種同数の株式を購入して所持しさえすれば何らの責にも任ぜず、かつ債務者の債務の弁済ともならないことになる。これは不当に金融業者のみが利得することになつて社会正義に反し、他人の株式により投機を許容するに等しく、再担保株式が処分されたのは甲銀行の再担保権者に対する債務不履行に原因するものであるから、上告人に対する関係では、同銀行は債務不履行の責任または上告人の所有株喪失につき不法行為上の責任を負担すべきものである、というのであつた。

これに対し大審院は、要するに、たとえ不法行為であるとするも、転質権の設定された株券は、他の同種同額の株券をもつて代えることを得ない特別の事情のない限り、すでに同種同額のものをもつて塡補されているのであるから、損害がない、したがつて不法行為は成立しない、との理由をもつて、棄却した【9】。

【9】「原審ノ認定シタル事実ニ依レハ上告人Aハ被上告銀行甲銀行ニ対シ約束手形ヲ振出シ其ノ債務ノ担保トシテ川崎造船所新株式十株ヲ差入レタルカ被上告銀行倉吉支店長桑名嘉造ハ大正九年頃上告人ノ承諾ヲ受ケスシテ右株式ヲ他ニ担保ニ供シ之ヲ取戻スコトヲ得サルニ至リタル(ニ)因リ大正十三年頃被上告銀行ハ同種同額ノ株式ヲ塡補シテ保管シ現在ニ至レリト云フニ在リ果シテ然ラハ縦令前記桑名嘉造ノ為シタル株式ノ処分ヲ以テ不法行為ナリトスルモ特ニ其ノ処分ニ係ル特定ノ株ハ他ノ同種ノ株ヲ以テ代フルコトヲ得サル特別ノ事情ノ認ムヘキモノナキ限リ前記ノ如ク既ニ同種同額ノ株式ヲ以テ其ノ喪失ノ塡補セラレタル以上上告人ニハ最早何等ノ損害モ存セサルニ至リタルモノト云ハサルヘカラス従テ右桑名嘉造ノ処分シタル株式カ十株ナリシヤ将二十株ナリシヤヲ問ハス又其ノ処分カ桑名個人ノ為ニ為サレタリヤ被上告銀行ノ為ニ為サレタリヤニ論ナク上告人主張ノ損害賠償請求権ハ成立セサルコト明ナルヲ以テ斯ル成立セサル債権ヲ以テ被上告銀行ノ手形債権

ト相殺ヲ為スモ何等ノ効力ヲ生スヘキニ非ス」（大判昭九・三・九民集一三・二五六川島・判民昭和九年度二五事件、石田・法学論叢三一巻五号）。

しかし、学説はこの判例に対して強く反対する。すなわち、株券のもつ代替性から、判例のように直ちに、同種同額の株券をもつて塡補したから損害がなく、したがつて質権者に責任がない、と断定することはできない。なるほど現在Aは損害のない状態におかれていることは確かであるが、甲銀行は本件株券によつて自己の第三者に対する債務を免れている。もしその債務を免れた時における株式の時価が高く、後に甲銀行が質物塡補のために買入れた時価が低ければ、その差額だけ甲銀行は、Aの財物によつて利得していることになる。この利得が黙過されてよい理由のないことは、委任・寄託等において受任者・受寄者が最も代替性の強い金銭を消費した場合の効果（民六四七・六六五）から考えても明らかである。要するに、物の保管義務を伴う関係になつているAおよび甲銀行間では、同種同額の株式をもつて塡補しても、Aの物による甲銀行の利得は無視されてはならない、と（川島・前掲判批）。そして、このような担保関係という特別の法律関係によつて結ばれている当事者間には、一般法たる不法行為法を適用すべきではなくて、転質に関する特別の法律関係を考慮しなければならない。そうすると、甲銀行が譲渡担保にいれた本件株券を取戻し得なくなつたときは、その時の当該株式の時価を限度として、Aの甲銀行に対する債務も当然に消滅したと解すべきことになる。すなわち、担保権設定者は、担保物の価値権が実現されたことによつて、質権者の債務との相殺という特別の手続をふむことなく、その債務は消滅する（川島＝石田・前掲判批）。

以上の学説の主張するように、代替性を有する株券といえども、担保権者がこれを自由に処分した後、同種同額のものを返還すればよいというものではないと思われる。しかし、本来の担保物たる株券の返還が不能である場合に、担保権設定者が、同種株券による返還を求めることは許されるとする下級審判例がある【10】。

【10】「控訴人信用金庫（甲信用金庫）は被控訴人(A)に対して、質権の基本たる債務の消滅にともない、質物として受領していた株券を返還する義務あるところ、これを既に訴外沢(B)に交付してしまい所持しておらず取戻し得ないことは認定事実に徴し明らかで、控訴人の質物として受領した本件株券そのものの返還義務は履行不能である。かかる場合には金銭による塡補賠償を求めるのが通例であるけれども、被控訴人はその代替物たる株券の返還を請求する。凡そ記名株式の質入については指名債権の質入と同様に、権利質として取扱うべきことは民法三六四条、商法二〇七条等の法意により明らかであつて、その質権の対象はその株式により象徴されている株主権であつて、しかも株式が同種類のものであれば、その株主権に差異があるわけではない。従つて質権者の質物たる株主権の返還は、質権設定者より受領した株券そのものを返還すべきが本則ではあるけれども、若しそれが不可能な場合においては、返還請求者が他の株券の交付による株主権の返還にても満足し、かつ当該株券が何人においても容易に取得し得るようなときには、他の同種株券による返還請求も許されると解する。かく解することにより返還義務の履行不能による質権設定者の損失は正当に塡補し得るし、反面質権者が特に不利益を蒙ることもない訳である。本件においては、その質物たる株式会社富士銀行の株式は訴外河野名義のものであつたことは原審における被控訴人本人の供述により認められ、かつ上場株であつて、質権者たる控訴人においても容易に取得し得るものであるから前記の理由により、被控訴人の本訴株券返還請求は許されるべきものと解するのが相当である」（東京地判昭三二・一〇・一七下級民集八・一九三一）。

右判例の事案の概要は次のごとくである。被控訴人Aは訴外Bに金融方法を依頼し、一〇万円の約束手形を振出しBに交付しておいたところ、Bは従来より取引のあつた控訴人甲信用金庫に、右手形の割引を依頼し、その承諾を得て自ら裏書をして甲信用金庫に交付した。その後右手形はA振出の金一〇万円の約束手形に書換えられ、その際、Aより甲信用金庫に対し本件株券が質物として提供された。この後者の手形債務に関して、被控訴人Aにおいて一万円を支払い、その後訴外Bが九万円を支払い、結局、Aの甲信用金庫に対する債務は全部消滅した。そこで、Aは右金庫に対し株券の返還を求め、「質入の際返還すべき株券は当初差入れた株券でなくとも同種の代替物でもよい趣旨であつたから、甲信用金庫が当初差入れられた株券を現に所持していないとしても、同種の株券の返還を求め、なお執行不能のときには右株式の時価一株について金七六円合計金七万六千円の金員の支払を合せて求める」、とのべた。これに対し甲信用金庫は、訴外Bは九万円の弁済によつて、同金庫の債権の法定代位権者たる地位を取得し、同金庫はこの者に質物たる本件株券を交付した（なお右株券はBによつてさらに他に処分された）のであるから、Aに対しては返還義務はないと主張した。

裁判所は、右株券の被担保債権は、書換による第二手形の手形金債権であつて、第一手形の手形金債権はこれには含まれておらず、かつ第二手形については訴外Bは全然手形上の義務者になつていないから、Bは手形金の一部支払によつて法定代位権を取得する関係にはなく、結局、同金庫のBに対する本件株券の交付は、何ら権利のない者に過つて交付されたにすぎず、同金庫はAに対する株券返還義務は免れていないと認定の上、株券の代替性ということにより、前記のごとく判示した。

本件に関しては考察しなければならない問題は種々あるだろうが、ここでは、右判例がとつている株券の代替性理論についてのみ考察しておこう。たしかに、右判例のいうように、上場株券のごとく極度に代替性をもつているものにあつては、質権設定者が他の同種株券による質物の返還をもつて甘んじ、これを認めても別に不都合な結果にはならないであろう。しかしこの結果を認める場合に、これを求めるために、判例のいうように、記名株式の質入の対象は株主権であつて、これは同種類ののである限り差異がある訳はない。したがつて、質権設定者において他の同種株券による返還にても満足し、かつ何人でも容易にこれを取得しうる場合には、他の同種株券による返還請求も許されるというのでは、いささか常識的実質論が勝ちすぎていないかとの感じを禁じ得ない。

質権消滅による質物返還請求権は所有権に基く返還請求であれ、質権設定契約の内容から生ずるものであれ、質権の目的物たる特定物の返還請求であることはいうまでもない。株式の質入の場合にも、株主権そのものには、同銘柄である限り差異はつけられないかも知れない。しかし、それを表彰している株券は特定性をもつている。故にこの場合でも、質権消滅による返還請求権は特定物返還請求権と解すべきである。それにもかかわらず、代替物返還請求権を認めるためには、そのための特別な理由づけが必要であろう。そして私は、その根拠は質権設定契約の内容に、これを求めるほかないと思う。例えば本件でも被控訴人Aが主張しているように（もつとも裁判所はこれを認定していないが）、返還すべき株券は当初差入れた株券でなくとも同種の代替物でも良い趣旨の約束が、質権設定契約においてなされていた場合は、判例のような結論を認めることはできるだろう。しかし、このような同種同量の株券の返還でもつて足るというような約束がなされている場合に、なおこれをもつて株式の質入ということができるであろうか。むしろこの場合は、被担保債務者が被担保債権者に当該株券を消費寄託し、その返還請求権の上に質権が設定されているとみるべきではないか。

問題は右のような特約がある場合は別として、これが明示的になされていない場合にも、株券の代替性よりして、債権者は同種同量の株券を返還すれば足ると解釈することには疑問がないではない。なぜならば、もしそうだとすれば、担保権者は、この株券を自由に利用することができ、【9】の判例に対する批判においてのべられているように、質権者は他人の財産によつて不当に利得を得る機会をもつことになる。故に、右のような契約が、黙示的に当然に存在すると認定することは適当ではないのではないかと思われる。

もつとも、前掲判例は、同種株券の返還請求は返還請求者の側にのみこれを許すかの如き表現をしている。すなわち、差入れられた株券の返還が不可能な場合において、「返還請求者が他の株券の交付による株主権の返還にても満足し」、といつているところから見れば、質権者の側には同種株券による返還の自由は認めない趣旨かと思われる。もつとも、このような結論も、当事者の意思表示の内容によつては認められないことはないであろう。すなわち、質権の消滅の際に質権者が返還すべき株券を目的にする準消費貸借契約の予約が質権設定の時になされ、その完結権を質権設定者が留保しているとみることである。しかし、このような複雑なことを当事者が意図しているとも思えない。結局、私は、いかに代替性をもつ株券とはいえ、これに質権ないし譲渡担保権を設定したときは、担保権が消滅した場合には、原則として、担保権設定者は、当該特定の株券に対する返還請求権しか有しないと解すべきものと思う。

次にかかげる下級審判例も、株券の代替性に立脚して、使用貸借契約に基く株券の返還は、同種同等同量のただし番号の異なる他の株券をもつてなし得る、とするものである【11】。

【11】「株券の使用貸借契約が成立した後、貸借当事者間において借用株券その物を返還するなど特に株券の番号に重きをおくべき事情なくして、株券の返還契約がなされた場合は、返還契約前既に借主が借用株券を他に譲渡して、該株券が第三者の所有に帰したときはもちろん、返還契約後にそれが第三者に譲渡され、同人の所有に帰した場合においても、株券が代替性と高度の流通性を有する性質上格別の事情のないかぎり、借主は借用の株券に同種同等同量のただし番号の異なる他の株券をもつて債務を弁済するの権限、すなわち変更権を有する反面、貸主はかかる株券をもつてする借主の弁済の提供を拒絶し得ないと同時に、貸主は借主に対し、当初貸与した株券と同種同等同量の株券の返還を請求しうるものと解すべきである。かかる場合これを反対に解し、貸借の株券その物が第三者に譲渡されてその所有に帰するにいたつた結果、借主の民法五九三条による借用株券その物の返還債務は履行不能となり、したがつて貸主の株券返還請求権も消滅して当然損害賠償請求権に変ずるが故に、貸主は単に履行不能による金銭の損害賠償を請求しうるに過ぎないと説くのは、著しく経済界における株式取引の実情に疎い机上の法律論であつて、採るべき見解ではない。本件株券返還契約において右に述べた株券の番号に重きをおいた事情や、その他格別の事情も認められないので被控訴人の株券返還請求権が消滅するものでない」(福岡高判昭三二・一〇・一九判時一三三・三六七九)。

ただ、右の判例は、使用貸借契約そのものから右の結論を引き出しているのではなく、使用貸借契約成立後にさらに締結された株券の返還契約の効力として、右のように結論づけていることを注意しなければならない。すなわち、この返還契約の解釈として、特に株券の番号に重きをおくなどの格別の事情の認められない限り、株券の代替性と高度の流通性にかんがみて、当初借用の株券と同種同等同量の他の株券の返還債務を負担したもの、としているのである。要するに、その後に締結された返還契約によつて、使用貸借に基いてすでに負担していた株券の返還債務について準消費貸借契約（民五八八条）を締結したものと解しているものと思われる。

なおまた最近には、証券会社が名義貸のため寄託を受けた株券の返還請求権は所有権に基く返還請求権でも、特定物引渡の債権でもなく、契約上の義務の履行を求める種類債権であると判示した下級審判例がある。

事案の概要をのべるならば次のごとくである。原告Aは、乙証券会社に対し、自已所有の株式につき株券はみずから所持しつつ名義だけを同証券会社の名義となし、同会社をして株式の配当領収手続を行わせていた（いわゆる名義貸）。その後右証券会社は被告甲証券会社に吸収合併されたため、株式名義を甲証券会社に書換えさせるため、当時甲証券会社の京都支店長であつたBに、丙会社株式二、六〇〇株、丁会社株式二、五〇〇株（後一、八〇〇株返還）を交付寄託した。ところが、寄託期間中に丙会社株式については一対二・五の割合での新株の有償割当、一対〇・五の割合での無償割当があり、AはBに対し、払込金を交付して新株払込手続を委任し、かつ無償新株の受領をも委任した。なお、丁会社株式についても一対一の無償割当があつたが、これについては受領委任はなされていなかつた。原告は、被告証券会社に対し、丙会社株式七、四〇〇株（当初寄託株数と新株数の合計より既返還分を差引いた株数）、ならびに丁会社株式一、四〇〇株（右に同じ）の返還を請求した。これに対し、被告証券会社はBの代理権の欠缺を主張して争つたが、裁判所は代理権の存在を認定した。その上、証券会社が、いわゆる株式の名義貸を承諾して名義書換のため顧客から株式の寄託を受けて保管中、新株式の無償割当（本件では丁会社株式につき）があつた場合には、特に受領の委任を受けていなくとも、これを受取つて、客のためにこれを保管する義務があると判示して、結局原告の請求を認めた。その際、本件では原告は、「右株券の寄託に当つては当事者間において株券の個性に依存することなく株式名義人が被告会社であれば該特定株券に代えて同銘柄、同数量の他の株券をもつて返還の目的としたものである」として、株券を特定せずに、その引渡を求め、これに対し被告会社は、「その返還請求は各株式の銘柄、株券の種類、番号、株枚等を特定しなければならないのであるから、特定を欠く原告の請求に応ずる義務がない」と主張した。この争点に関する判旨が左記のものである【12】。

【12】　「原告（A）は被告会社（甲証券会社）に対する右株式返還請求権を種類債権と解して、引渡を受けるべき株式を特定することなく、単にその銘柄数量のみを表示してその引渡を求めているので、原告のこのような請求が正当であるかどうかについて判断する。株式仲買人の間ではその顧客から保護預り又は名義貸しのために株式の寄託を受けた際には、これを特定物の寄託として保管返還し且つ右寄託株式について新株式の割当発行があつて顧客のために、株式発行会社から右新株式を受取り保管し顧客に返還する場合にも、これを特定物として取扱う慣行のあることは証人山本昌子の証言に徴して明らかであつて、且つ条理上から云つても誠実な業者としてこのような取扱を為すべきものと認められる。しかしながら、右仲買人が、その顧客に対して保管中の株式を返還する場合に保管中の特定の株式を返還しないで、これと同一種類同一数量の他の株式を返還しても、仲買人はこれによつてその寄託又は委託契約上の義務を完全に履行したことになるのであつて、その為めに義務の不履行乃至不完全履行の責任を負うことがない点を考慮すれば、前記のように特定株式として保管返還する慣行は、仲買人が事故の発生を防止して誠実に業者としての義務を履行する手段として採用している内部的な取扱手続に過ぎないのであつて、顧客と仲買人間の寄託契約又は委任契約の本質としては、仲買人は顧客に対しては種類債務を負うているに止り特定物の引渡債務を負うているのではないと解するのが相当である。

換言すれば、顧客の仲買人に対する右株券の引渡請求権は所有権に基く返還請求権でも、特定物引渡の債権でもなく、契約上の義務の履行を求める種類債権であるから、その銘柄数量のみを表示して発行番号を特定しないで請求するのが寧ろ本筋である。右のように原告の被告会社に対する請求の原因が契約上の債務の履行を求めるのである以上、被告が右寄託株式に対して割当てられた新株式を株券発行会社から受取らなかつた場合においても、原告は右寄託等の契約の履行として割当られた数量の新株式の引渡を求めることができるのであつて、必ずしも右株式の受取りを怠つたことが契約上の義務に反するとして被告会社に対してこれによつて蒙つた原告の損害の賠償の請求をすることのみが許されるものと解する必要はない。証人山本昌子の証言によれば被告会社が本件の寄託株式について割当られた新株式を各株式発行会社から受取つていないことは明瞭であるけれども、原告が被告会社に対して株式の銘柄数量のみを指定し、その発行番号等を特定しないで種類債権として株券の引渡を求めた点に少しの違法もない」（大阪地判昭和三三・一〇・一三下級民集九・二〇八四、山崎・ジュリスト一二二号）。

本件に関しては種々問題があるであろうと思う。しかし、ここでは証券会社が名義貸を承諾して、顧客から寄託を受けた株券の返還債務は、法律上どのような性質のものであるかという点について考えてみることにしよう。名義貸の仕方には、幾つかの方法があるであろう。すなわち客が自巳名義の株券を証券会社に裏書譲渡するとか、あるいは証券会社を通じて買付けた株券を直ちに右証券会社の名義にしてしまうとかいうようにである。これらの場合に、証券会社と客との間に消費寄託が締結されたとみれば、判例の結論をひき出すことは容易である。しかしまた、株券の信託的譲渡あるいは資格譲渡の一種ではないかとも考えられる。もし後二者であるとすれば、証券会社は、当該株券については完全な処分権を有し、ただ同種同量の株券をさえ返還すれば足りるといえるかどうか問題であろうと思う。右の判例が、これらのうちのいずれと解しているのか、「契約上の義務の履行を求める種類債権」という表現だけからは明らかでない。この点については、名義貸の慣習についての詳細な調査を前提にしなければ、断定的なことはいえないと思う。それにしても、この判例が傍論的にではあるが、一般の保護預りの場合にまで同種同量の株券の返還でもつて足るとしている点には、大いに異論があろうと思われる。

なお、本件にあつては、原告は当初寄託した株券のほかに、その後発行された新株券の交付をも要求している。もちろん、当初寄託された株券のうち、わずか一〇〇株だけが被告証券会社に渡されたのみで、他はBが費消したのであるから、その後に発行された新株券を、原告主張の数量だけ、被告証券会社が受領しているはずはない。それにもかかわらず、右判例は、親株の受託者たる証券会社は、新株についても客のためにこれを受領し保管する義務があるとして原告の右請求を認めた。しかし、右の受任者としての義務を履行しなかつた場合に、金額賠償でなしに一定数量の株券の返還請求ができるのか、これまた疑問であろう。右のような結論を引き出しているところからみると、この判例のいう「契約上の義務の履行を求める種類債権」というのは、何か全く抽象的な、一定銘柄一定数量の株券の引渡を請求しうる契約が、証券業者と客との間に締結されているとでも考えているのであろうか。

六　物としての株券（株券に対する所有権）

株主が株券の占有を失つても、第三者による善意取得（商二二九）が生じない限り、無権利の現占有者に対してはこれの返還を請求し得ることはいうまでもない【13】。

【13】「株主ハ自己ノ株主権ヲ表彰スル株券ヲ保有スル権利ヲ有シ自己ノ意思又ハ法律ノ規定ニ依ルニ非サ

レハ其権利ヲ喪失スヘキ謂レナケレハ正当ノ権利ナクシテ之ヲ占有スル者ニ対シ之カ返還ヲ請求スル権利アルモノトス」（大判大八・四・五刑録二五・四九〇、竹田・法学論叢二巻八五〇頁）。

右判例の結論はもちろん正当であるが、この判例が株主が株券を保有する権利とは何であるかについて論じていない点に対し、批判がなされている（竹田・前掲判批）。この権利は、株主が会社より株券の発行を受けることにより、または前株主より有効に譲受けることによつて取得した株券に対する所有権と解すべきである（竹田・前掲判批）。

もつとも、真正な株主でない者に対する真正な株主よりの株券の返還請求権を、株券に対する所有権に根拠づけることができるかどうか疑わしい場合もある。例えば、旧法下において、百株券四枚が盗取され、それが偽造の白紙委任状とともに転々し、その最後の所持人が会社によつて名義書換を受けた後、株券の種類変更により十株券四十枚の交付を受けたが、この株券に対し被盗取者が返還請求権を行使したのに対し、判例は、この請求を認めた【14】。

【14】「凡ソ株券カ小額ナル株券ニ分割変更セラルルモ之ニ表彰セラルル株主権ニ何等ノ変更ナク唯其ノ各株券ニ表彰セラルル権利ノ範囲（株式ノ数量）ヲ減シタルニ過キスシテ右分割変更前ノ株券ニ対シ権利ヲ有シタルモノハ分割変更ノ結果新ニ会社ヨリ発行セラレタル株券ニ対シテモ自己ノ株主権ヲ表彰スルモノトシテ之カ権利ヲ主張シ得ルモノト解スルヲ相当トスヘキカ故ニ原告ハ前記分割変更後ノ本件十株券ニ付テモ之カ権利ヲ有スルモノト謂ハサルヘカラサルニ依リ株券分割ノ結果新ニ発行セラレタル株券ニ付原告ニ何等ノ権利ナシトスル同被告等ノ右抗弁ハ之亦採用ニ値セス」（東京地判昭一五・四・二二新聞四五七〇・一七）。

偽造の白紙委任状によつては、株式の善意取得は生じないとの旧法下の判例のもとでは、最後の所持人も株主権を取得し得ないことはいうまでもない。しかし、この者も名義書換を経て会社より分割後の株券の交付を受けた以上、その株券についてはこの者が所有権を取得しているというべきであろう。そうすると、真の株主からの株券の返還請求は、不当利得による返還請求として構成すべきもののように思われる。

ところで以上のように、株券という一枚の紙に対する所有権を認めると、この権利と紙に表彰されている株主権との関係が問題になつてくる。ことに、記名株券の善意取得が法律上認められていなかつた旧法下においては、株券の善意取得を主張する者は、しばしば株券に対する所有権、したがつて、それの民法一九二条以下の規定による即時取得を主張したものであつた。しかし、いずれの場合においても、その主張は判例のいれるところとならなかつた【15】【16】【17】。

【15】「旧商法及ヒ民事訴訟法ニ於テハ或ハ株券ヲ公売スルト云ヒ或ハ株券ノ従前ノ所有者ト云フ而已ナラス有価証券ナル名称ノ下ニテ株券ヲ以テ有体動産ト看做シタル場合アリト雖モ之レヲ純粋ノ有体動産ト同視セサルコトハ旧商法第百八十一条(現二〇五、二〇六対照)及ヒ民訴第五百八十二条ニ依リ知ルヲ得可シ殊ニ旧商法ニ於ケル株券ノ売買ハ株主カ其権利ヲ証明スル株券其物ノ売買ニアラスシテ株式ノ売買即チ株主権タル債券ノ売買ニ外ナラサルコトハ是レ当院判例ノ認ムル所ナリ左スレハ会社カ株券ヲ公売シタル場合モ亦之ト同シク単ニ株券其物ノ公売ニアラスシテ株主権ノ公売ニ外ナラサルカ故ニ此場合ニ其公売ニ因リテ株券ヲ取得シタルモノハ動産ニ於ケル占有取得ノ条件ヲ具備スルニ拘ハラス株券其物ノ所持ヲ以テ占有ノ法則ニ従ヒ直ニ株主権ヲ取得スルコトヲ得ルモノニアラス抑モ債権ニ付テハ其権利移付（転付）行為ニシテ適法ナルニ於テハ之カ効果ヲ生スヘシト雖モ否ラサルトキハ縦令形式上瑕瑾ナキ手続ニ依リテ移転シタルニモセヨ其行為ニシテ実体上不適法ナルニ於テハ之ニ対シテ其利害関係人ヨリ異議ヲ唱フルトキハ法律上何等ノ効果ヲモ生スルコト無シ」(大判明三四・五・二二民録五・一〇六)。

【16】「記名株券ニ付キ按スルニ該株券ハ株式ノ所有即チ債権ヲ証明スル具トシテハ価値アルコト勿論ナレトモ其実質ニ至テハ価値ナキ一個ノ紙片ニシテ動産即チ財産ヲ成スモノニ非ス財産ヲ成スモノハ株券其ノモノニ非スシテ之ニ表記シアル債権其モノナリトス従テ記名株券ノ占有者ハ必スシモ其株券ニ表記シアル債権ノ占有者ニ非ス又仮ニ記名株券ヲ動産ト看做スヘキモノトスルモ取引ニ因リ記名株式ヲ取得スルニハ当事者ノ一方ヨリ他ノ一方ニ之ヲ表記スル株券ヲ手渡スルノミヲ以テ足ルニ非スシテ商法第二百五十条（現二〇五条対照）ノ手続ヲ要スルモノナレハ旁前掲法条（民法第百九十二条及ヒ第百九十四条）ノ適用ヲ受クヘキモノニ非サルヤ知ルヘシ」（大判明三六・一二・一一民録九・一三五二）。

【17】「一ノ社員権タル株式ヲ表彰スル記名株券自体ハ即チ一葉ノ紙片ナリ動産タルニ紛レ無シ而モ此ノ動産所有権ハ株式ニ追随スルコト猶ホ債権証書ノ所有権カ当該債権ニ伴ハレテ其行クトコロニ行クト択フトコロ無シ蓋記名株券所有権ハ株式ニ追随セシムルニ非サルヨリハ意味無キ所有権ニ外ナラサレハナリ夫ノ無記名証券ニ依リ表彰セラルル権利ノ証券所有権ニ追随スルト事ハ恰モ相反シテ趣ハ正シク相合ス左レハ記名株券ニ対スル所有権ハ独立セルソレニ非ス畢竟株式ノ従物ニ過キス株式ハ記名株券ノ所有権ニ追随スルコト夫ノ無記名証券ノ如クスレハ格別爾ラサル限リ株券自体ニ対スル独立ナル所有権ナルモノハ一紙ノ反古ニ対スル所有権ナリ無価値ノ所有権ナリ取引上ノ存在ヲ与フルニ足ラサル所有権ナリ斯カル所有権ヲ認メテ以テ民法第百九十二条以下ノ適用ヲ云々スル所論ノ当否ハ多ク弁セスシテ可ナリ」（大判昭一一・一〇・二〇新聞四〇六四・一七）。

右に掲げた三つの判例は、結論はいずれも同じであるが、最後のものにおいて、最も明快な理由がのべられているものと解される。すなわち、株券に対する所有権は、それ自体独立の意義をもつものでなく株式の従物にすぎない。したがつて、株式について善意取得の生じない以上、株券に対する所有権のみの善意取得にいうことはあり得ないとする（竹田・法学論叢二巻八五〇頁も同説）。この問題は、株式の善意取得が認められた現行法(商二二九)のもとでは、従来のような形では、もはや提起されなくなつた。しかし、株券の拾得という問題に関連して新たにクローズアップされて来た。しかも最近に、これをとりあつかつた判例があらわれた。事実の概要は次のとおりである。原告Aは昭和三〇年一二月二〇日ごろ、被告甲会社の株券七枚(株式合計一〇〇〇株)を拾得し、即日警察に届け出た。警察では遺失物法の定めるところにしたがつて公告をしたが、法定期間内に所有者が判明しなかつたため、昭和三二年二月一〇日原告に右株券を交付した。原告は右株券に基き発行会社に対し、自已に名義を書換えるべきことを請求して本訴におよんだ。発行会社の主張の要点は、遺失物法により公告後一年を経過して拾得者に交付された株券は、株券の形をとつた単なる紙片にすぎず、拾得者は株主権まで取得するものでなく、株主は依然として遺失株主がこれを有するというにある。これに対する原告の主張の要点は、株券にあつては、その記名式たると無記名式たるとを問わず、株券の所有権の変動に伴い、株主権も移転すると解すべきであるから、遺失物法の定めによつても株券に対する所有権を取得した者は、株主権をも取得すると、いうにある。判例は、下記の如く、原告敗訴の判決をいいわたした【18】。

【18】「成立に争いのない甲第一ないし第八号証によれば、原告が昭和三十年十月二十日別紙記載株券を拾得し同月二十二日警視庁日本橋警察署長あてに届け出たが遺失者が発見されないで拾得者原告(A)に右株券が交付されたことを認めることができる。右の事実によれば、原告は民法第二百四十条遺失物法の規定により拾得した同券の所有権を取得したことになるが、同株券が記名株券であることは前掲甲号証により明らかであるところ、その取得により株券に化体された株式即ち株主たる地位をも取得するものであるかについて考えてみるに、なるほど株式は株券に化体されて権利移転の際その交付が必要とされまた権利行使についても名義書

換請求についてその占有を必要とされるものであるが、もともと株券は株式を表彰するため発行されるもので、株券の発行によつてはじめて株式が発生し権利が創設されるものではなく、権利の変動に株券の交付がなされるのも権利の変動に伴い権利を表彰している株券の所持者も亦変動すべきこと及び第三者への対抗公示等の理由からしてそれが必要とされているものであり、株券は株式の変動に伴い移転すべきが原則であつて、唯取引の安全をはかるうえから有価証券としてその善意取得者を保護する建前をとつているのであるから、株式が株券に化体されているからといつて逆に株券の所持者の変動は常に株式の移転を伴うものとすることはできなく、株券がなんらかの事由により所持者の意思に基かないでその占有から脱した場合にはいわゆる善意取得の要件を具備する場合を除いては株券取得により直ちに株式を取得するものとなすことはできない。原告の本件株券取得は前に認定したとおり拾得後適式な手続によつてなされたものであるが、これもいわゆる善意取得には該当しないものであるから原告の所有権取得は単に株券と記載された紙片に対するものと言わなければならず、それに化体された株式にまでおよぶものと言うことはできない。（中略）以上のとおり原告は別紙記載株券を所持はしても同株券に表示される株式を取得し得ないものであるから原告には同株式の名義書換請求権はない」（東京簡判昭三四・一・二九下級民集一〇・一・一九二、大住・法律時報三一巻四号、三戸岡・東京株懇会報八九号、村岡・商事法務研究一三七号、河本・同誌一四六号）。

拾得株券をめぐる法律問題は、この判例が出されるまでにも、すでに実務界において問題になつていた（大隅「改正会社法施行後の諸問題について」大阪株懇記録六八号、高島「株券の拾得」東京株懇会報六八号、三戸岡「拾得株券の処理について」同誌三四号、同「株券拾得者の権利」株式の法律実務三一頁、同株主一五七頁、東京株懇研究部「拾得株券による名義書換」会報六六号、河本「物としての株券」大阪株懇記録百号記念論文集）。しかし、拾得株券につき適法に警察よりその交付を受けた拾得者が、株主権まで取得し得るのかどうかについては説が分れていた。あるいは当該株券の最後の裏書が白地式裏書になつている場合は拾得者による権利取得を認め（大隅、高島）、あるいは白地式裏書のなされていると否とを問わず、記名株券には拾得による権利取得を認めず（株懇研究部、三戸岡）、あるものは常にこれを認める（河本）。ところで、本判決が以上の各説のうちのいずれをとつたものであるかは必ずしも明確ではない。というのは、本件株券の最後の裏書が白地式裏書になつていたのかどうか明らかでないからである。しかし、当事者が白地式裏書がなされていたと主張しておらず、また、判決理由に付記されている株券目録にも、単に最終名義人何某としてかかげられているにすぎない点よりして、白地式裏書は付されていなかつたものと考えられる。そうすると、本判決は、前掲の第一説あるいは第二説のいずれかの立場に立つているということになるのであるが、判決理由が、記名株券一般について立論しているところから、それは白地式裏書が付されているか否かを問わず、拾得による株主権の取得はこれを否定する立場、すなわち、第二説の立場に立つているものと思われる。

記名株券について拾得による株主権の取得が認められるかどうかは困難な問題であるが、ここでは判例のような立場に立つた場合に生ずる問題について考えてみることにしよう。

まず、本判決は拾得者は、「単に株券と記載された紙」に対する所有権を取得するにすぎないとするが、その意味するところは、この株券は法律上依然として株券としての効力を有してはいるが、それに対する所有権は本来の株主すなわち遺失株主からはなれて、拾得者に帰属したということか、それとも、本件株券は株券としての効力を失つて全くの紙片にすぎなくなり、拾得者の取得するのはこの一枚の紙片に対する所有権にすぎないということか、明らかでない。しかし、拾得株券が拾得者に交付されることによつて、法律上、株券としての効力を失うと解することはできない（警察が拾得者の了解のもとに株券を破棄するとか、株券に「遺失物」と明示した上で交付することによつて株券の流通力を事実上奪う処置をとることは別の問題である）。このように、拾得株券にもなお株券としての効力を認めつつ、しかもこれに対する所有権は拾得者をして取得せしめるということになると、その結果、権利と資格とが完全に分離してしまう結果になる。この情態のもとで、もし後に真の株主すなわち遺失株主が判明した場合、この者はどのようにすれば資格を回復することができるか。拾得者の手中にある有効な株券の引渡を請求することはできない。なぜなれば、右判例の立場では、拾得者は完全に株券に対する所有権を取得してしまうことになるからである。またこの所有権取得が遺失物にもとづく以上、不得利得にもならないであろう。このように、株券を取戻すことができないということになると、権利と資格の分裂も仕方がないということで放置するのでなければ、遺失株主のためには公示催告手続を経て除権判決を入手し、それによつて株券の再発行を受ける方法を考えることになるだろう。

しかし、公示催告中に、拾得者がその株券を呈示して権利の届出をしてきたら、どういうことになるだろうか。法律的には有効な株券が提出されているのに、公示催告手続を進めてこれを無効と宣言することが果して許されるであろうか。このようなことを考えてくると、私には、拾得の場合にも、単に株券に対する所有権の取得を認めることが、そもそも疑問に思えてくる。株券は株主権を表彰する手段にすぎず、したがつて、株主権の変動に株券に対する権利は随伴すべきものであることは、本判決自身の認めているところである。それにもかかわらず、拾得の場合に限り、どうして株券だけを独立の所有権の対象として認めるのか。おそらく、株券も一枚の紙として動産であるから、それに民法二四〇条を形式的に適用したものであろうと思う。しかし、私には、記名株券の拾得による株主権の取得を認めないのであれば、株券そのものについても、所有権を取得せしめないのがよいのではないかと思われる。特殊な場合（例えば貴重な名士の裏書筆跡でも付いている場合）は別として、それ自身独立の経済的価値を有せず、株主権に対して手段としての価値しか有しない株券も、なお一枚の紙として動産であるからとの理由で、拾得による独立の権利取得の対象たらしめるのは、いささか形式的ではないか。そして、拾得者をして株券に対する所有権を取得せしめないということになると、警察は法定期間をすぎても、拾得者に株券を交付すべきでなく、後日出現するかも知れない遺失者のために、これが保管を継続すべきことになるだろう。

二　株券の発行

一　発行の強制

昭和二五年改正法は、「会社ハ成立後又ハ新株ノ払込期日後遅滞ナク株券ヲ発行スルコトヲ要ス」と定める（商二二六Ｉ）。改正前においても、会社は必ず株券を発行することを要すると解するのが通説であつた（田中（耕）・会社法概論四五一頁、松本・日本会社法論二三九頁）。しかし、戦後、印刷事情や費用の関係上、株券の発行が遅れたり、あるいは全然発行しないことによつて株式の自由な譲渡を欲する株主の利益を害する場合を生じ、他方商法が株券による株式譲渡の自由を徹底したことに鑑み、上述の如き明文の規定が設けられた【19】。

【19】「商法二二六条で特に株券発行の時期について明文を設けたのは、改正法二〇四条一項、二〇五条一項により株式の譲渡性を確保する措置をとつたことに対応し、従来株券の発行が遅れたり或いは発行しないまま放置されていたりして、株主の保護に欠けるところがあつたことに鑑み、これが発行を促進し商法の規定する株式の譲渡等に支障なからしめんがためである」（東京高判昭三〇・二・二一下級民集六・二八八、大塚・ジュリスト一五二号）。

二　清算会社と株券の発行

会社が株券の発行をしないまま解散し清算に入つた場合、株主は、なお株券の発行を請求し得るかについては、一下級審判例はこれを否定した【20】。

【20】「株券ノ発行ニ付テハ商法第百四十八条（現二二五条）所定ノ事項及番号ヲ記載シ取締役之ニ署名スルコトヲ要スヘキ規定ナルニ解散シタル会社ニ於テハ清算人ノ外会社ヲ代表スヘキ取締役ナルモノ存在セス且株券ノ発行ハ解散セル会社ノ清算ノ目的ノ範囲内ニ属スヘキ事項ナリト解スルヲ得サル而已ナラス先ニ会社解散セル以上ハ最早株券ノ発行ヲ為スノ要ナク仮令其ノ発行ナシト雖モ原告ハ自己ノ株主タルコトヲ証明シ株主権ヲ行使スルニ妨ケナキヲ以テ会社解散後ニ於テハ株券ノ発行ヲ許ササルモノトス」（静岡地判大一五・一〇・一二新聞二六二五・九）。

その理由は、株券には発行会社の取締役が署名しなければならないのに、清算会社には取締役が存在せず、かつ株券の発行は解散会社の清算の目的の範囲をこえていること、および清算会社に対しては自己の株主であることを証明して株主権を行使することができるから、発行の必要がないというにある。しかし、その後に正反対の判例が出されている【21】。

【21】「凡ソ株式会社ノ株主ハ会社カ本店所在地ニ於テ登記ヲ為シタル後ハ何時ニテモ会社ニ対シ株券ノ交付ヲ請求シ得ヘク而モ株主ニ与ヘラレタル此権利ハ之ヲ制限又ハ剥奪スルコトヲ得サル権利ナリト解スルヲ正当トスルノミナラス会社ハ解散ニヨリ当然ニ消滅スルモノニ非ス尚ホ清算ノ目的ノ範囲内ニ於テ存続スルモノナルカ故ニ株券ノ発行カ之ヲ現務ノ結了ト解シ得ルニ於テハ株券ハ清算中ト雖モ株券ノ発行ヲ求メ得サルヘカラス而シテ我商法ハ株券ノ発行ニ付之ヲ強制シタル明文ヲ置カサルモ第百五十条（現二〇五条参照）ニ株券ノ名義書換ヲ以テ株式譲渡ヲ第三者ニ対抗スル要件ト為シタルコトヨリ推論セハ法ノ精神ハ株式会社ニ於テハ株券ノ発行ヲ要スル趣旨ナリト解スルヲ正当トスルカ故ニ株式会社カ未タ株券ヲ発行スルニ至ラスシテ解散シタル場合ニ於テモ株主カ精算中株券ノ発行ヲ求メタルトキハ清算人ハ未了事務ノ一トシテ之ヲ処理スヘク従テ其

株券ノ発行ハ之ヲ現務ノ結了ト解シ得ルカ故ニ会社ハ解散ヲ理由トシテ其発行ヲ拒否スルコト能ハサルモノト解セサルヘカラス尤モ商法第四十八条（現二二五条）ニ依レハ株券ニハ取締役署名スルヲ要スト雖モ会社ノ清算人ハ其職務ヲ行フニ付会社ヲ代表シテ裁判上及裁判外ノ一切ノ行為ヲ為ス権限ヲ有シ会社清算ノ目的ノ範囲ニ於テハ其地位取締役ト選ム所ナキカ故ニ清算中株券発行ノ場合ニハ同条ヲ準用シ清算人ハ株券ニ其署名ヲ為スコトニヨリ有効ニ株券ノ発行ヲ為シ得ルモノト解スルヲ相当トスヘク仮ニ此解釈ヲ非ナリトセンカ例之既ニ株券発行後清算中株主カ其株券ヲ滅失シタル場合ニモ清算人ニ対シテ新株券ノ交付ヲ求ムルコトヲ得ス而モ其株主ハ前ニ一旦株券ノ発行ヲ得タル関係上其株式ヲ第三者ニ譲渡セントセハ商法第百五十条（現二〇五条参照）ノ手続ヲ要スルモ株券ナキカ為之ヲ為スニ由ナク頗ル不利益ナル地位ニ立ツヘク其当ヲ得サルヤ論ナシ」（東京控判昭二・七・五新聞二七五四・七）。

清算会社に対しても、株主は株券の発行を請求し得ると解すべきである（高橋・改正商法のもとにおける株式の研究五七頁、田中(誠)・会社法一七七頁も同説、ただし理由は示していない）。なるほど前掲二事案におけるように、会社が全然株券を発行せずに清算に入った場合でも、原始株主は株券の発行を受けずとも、会社に対し株主権を行使するに何の妨げもない。しかし、清算中といえども、株券によつて株式を譲渡するという株主の利益は害されるべきでない。否定説のあげる形式的な反対理由は充分な根拠を有しない。また【20】の事案における如く、株金払込領収証に白紙委任状付で株式を譲受けた者についても、会社がその譲渡を認めなければならない以上、この者の株券発行の請求に応じなければならないことは、原始株主の場合と同様である。

三　株券の発行と株券の効力発生時期

前述のごとく（三頁）、非設権証券としての株券の性質上、株式が有効に成立していない以上、株券を作成しても、それは株券としての効力をもち得ないことはいうまでもない。これに対し有効に成立している株式について作成された株券は、何時から株券としての効力を生ずるか。この問題は従来判例の上では会社が株券を作成したが、まだ株主に交付しない間に、その株主の債権者が右株券を差押え得るか否かという点に関連して提起されていた。例えばある下級審判例では、原告甲は訴外乙に対する貸金債権の担保として乙所有の被告A会社の株式若干株に対する質権を取得したが、まだ株券が未発行であつたから払込金領収証、名義書換委任状ならびに処分承諾書の交付を受けた。A会社はその後一般に株券を発行しながら、前記株式に対する株券は乙にも原告にも交付せず、他方乙に対する他の債権者丙（A会社の取締役）は、A会社内にあつた乙名義の株券を差押え競売手続に及んだ。右競売に当つて、乙の債権者たるA会社および被告丁はおのおの配当要求をなし、大阪区裁判所において、甲の優先弁済を認めない配当表が作成された。そこで甲は右配当表が不当であるからその訂正を求めて、配当異議の訴を提起した。これに対して大阪地方裁判所は、作成はされても、いまだ交付されていない株券は有価証券と認めることのできない一枚の紙片にすぎないのであるから、これを競売したとしてもそれは法律上無効であるから、有効なる競売および配当手続の存在を前提とする原告の異議の訴は失当であるとした。

この判例が、未発行の株券を差押え処分することができないとする理由は、要するに、㈠これを認めると、株主の株券交付請求権が喪失せしめられるという法律の許さない結果になること、㈡株券発行前にあつては、株金払込領収証が株券に代る効力を有するとの慣習のもとにあつては、未発行株券を有効とすることは、一個の株式につき二個の株券が存するとの不都合を生ずるということにある【22】。

【22】 前示競売ト為リタル三百株ノ株券ハ原告カ質権ヲ取得シタル株式ヲ表彰スルモノトシテ会社カ林孫平ニ交付スヘキ筈ノ株券ニ該当スルモノト雖モ前示ノ如ク会社カ事実株券ヲ作成シタルモ未タ之ヲ株主若クハ正当受領ノ権限アル者ニ交付セサル内ニ於テハ第三者ハ其ノ株券ヲ差押ヘ之ヲ処分スルコトヲ得サルモノト解スルヲ相当トス何トナレハ（一）株主ノ株券交付請求権ハ株主権ノ一ニシテ株主全員ノ同意ヲ以テスルモ之ヲ奪フヘカラサルモノト解セサルヘカラス然ルニ若シ会社カ事実上株券ヲ作成スルモ未タ株主ニ交付セサル以上ニ（ハ？）之ヲ差押ヘ以テ其処分ヲ許スヘキモノトスルトキハ株主ハ故ナク第三者ノ為メニ株券交付請求権ヲ喪失スルノ結果ヲ生スルニ至ルヘク、斯クノ如キハ固ヨリ法律ノ許ササルトコロナリト謂ハサルヘカラサルヲ以テ株券カ有効ニ処分ノ目的タルニハ一旦会社ヨリ之ヲ株主若クハ其受領ノ権限アル者ニ交付スルコトヲ要シ其以前ニ於テハ未タ株主権ヲ表彰スル有効ナル株券ト称スルヲ得サルモノト解スルヲ相当トスヘク（二）鑑定人増山忠次ノ鑑定ニ依レハ株券カ未タ発行交付セラレサル以前ニ於ケル株式ノ譲渡ハ第一回払込領収証株式名義書換ノ委任状ノ交付ニ依ルモノナルコト明カナルヲ以テ右株券発行以前ニ於テハ株金払込領収証ハ即チ株券ニ代ルモノト謂フヘク従テ前示ノ如ク会社ノ未タ株主ニ交付セサル株券ヲモ有効完全ナルモノトスルトキハ一個ノ株式ニシテ二個ノ株券ノ存セルト同一ノ作用ヲ為スニ至ル不都合アルヲ免レサレハナリ果シテ然ラハ本件ニ於テハ株主権ノ存在ハ原告ノ手ニアル株金払込領収証ニヨリテ証明セラルルモノト解スルヲ相当トスルカ故ニ本件競売ハ結局株主権ヲ表彰スルコトナク有価証券トモ認ムヘカラサル一ノ紙片ヲ完全ナル株券ナリトシテ競売シタルモノニ過キサルコトトナルヲ以テ株券ノ競売トシテハ法律上無効ニシテ有効ナル競売及配当手続ノ存在ヲ前提トスル原告ノ本訴異議ハ此点ニ於テ失当ナリトス」（大阪地判大一〇・五・二二新聞一八六二・二一）。

しかし、右判例のかかげる理由は、いずれも正当とはいえないであろう。まず第一の理由として、判例は、株券交付請求権は、株主全員の同意をもつてしても奪い得ない権利であるとする。なるほど、現行商法二二六条一項に該当する規定のなかつた当時でも、会社は必ず株券を発行することを要するものと解するのが通説であつた。しかし、会社は株券を発行しなければならず、株主は株券の発行を請求する権利を有するということから、直ちに株主の債権者が作成後発行前の株券の差押えを許すことが法律の精神に反すると結論するのは、論理に飛躍があるように思える。法律の精神は株式が有効に成立した後には遅滞なく株券を発行せしめようとするにあるのであつて、それが株主自身の手に入るか、あるいはその債権者の手に入るかは重要ではないのではないか。株券は作成されるやその効力を取得し、その後は会社が株主のためにこれを保管している。したがつて、株主の債権者はこれを有効に差押え得るとの考え方もあるのであつて、また、このように考えたからといつて、別に法律の精神に反することにはならないと思われる。次に判例は、株券発行前には、株金払込領収証が慣習上株券に代る効力をもつているから、未発行株券を有効とすると、一個の株式につき二個の株券が存在することになつて不都合であるというが、もし現実に両者が共に有効に流通するとすれば、それはまさに不都合である。しかし、いまの場合は片方は未発行であるから、そのいわゆる不都合は存在しない。

要するに、その理由については不充分なものがあるにしろ、右の判例は、株券はこれを発行することによつて、はじめてその効力を取得するとの立場に立つた判例である。そしてこの立場はその翌年の大審院判例によつても支持された。事案の概略を次にのべよう。甲銀行は訴外Aに対する債権金額二万円について、強制執行保全のため、乙株式会社が作成はしたがまだAに交付していない同会社株券A名義のもの百枚（一株二〇円にして額面二百円）の仮差押をした。これに対して、乙会社は、右株券は未発行のものであること、およびその作成前に、Aより千株中九五〇株をBに譲渡した旨、確定日付ある証書による通知を受けていたのに、これを失念して誤つてA名義の株券を作成したものであることを理由に、右株券は株券としての効力を全く有しない一枚の紙片にすぎず、したがつて、乙会社の所有に属するものであるから、仮差押の排斥を求めると主張した。甲銀行は右譲渡の事実を否認し、かつ本件株券は、乙会社においてその作成行為を完了したものであるから、株券の効力を有し、訴外Aの所有に属するものであるから、仮差押は有効であると抗弁した。甲銀行は一審、二審ともに敗訴したので、次の理由をもつて上告した。すなわち、㈠株主名簿および記名株券は株主を定める唯一の証拠であつて、記名株券は交付前といえども株主権を表彰する有価証券であるとすれば、会社はその所有権を有し得ざることは明らかである。すなわち会社は単に保管者にすぎない。原判決が株券を株主に交付せざるの一事をもつて、会社に所有権ありと認めたのは違法である。㈡仮に係争物を一片の紙片にすぎないものとすれば、経済上の価値なく、したがつて、乙会社がその所有権を原因として仮差押の排斥を求める訴は訴訟利益がない。㈢原判決が、右紙片が第三者の手中に帰するときは、種々の紛争をかもすが故に、これを防止する必要があるといつているのは、本訴の原因外の事実に属する、と主張した。この主張を、大審院は、次のような理由をもつて排斥した【23】。

【23】「株券ハ会社カ之ヲ発行スルコトニ因リ始メテ其効力ヲ具有スルニ至ルモノナルコト商法ノ規定ニ徴シ明瞭ニシテ所謂発行トハ同法第百四十八条（現二二五条）所定ノ形式ヲ具備シタル文書ヲ株主ニ交付スルノ謂ニ外ナラサレハ縦令会社カ叙上ノ文書ヲ作成スルモ之ヲ株主ニ交付セサル以上ハ株券ノ効力ヲ有セサルコト言ヲ俟タサルニ依リ株券トシテ株主ノ所有ニ属スルモノニ非ス依然会社ノ所有ニ属スルモノト謂ハサルヘカラス本件ニ付原院ノ確定シタル事実ニ依レハ係争物ハ株主トシテ訴外柴田伊之助（A）ヲ表記シ被上告会社（乙株

式会社）ノ株券タル形式ヲ具備スルモノナルモ同会社ハ単ニ其ノ作成行為ヲ完了シタルニ止マリ未タ柴田伊之助若クハ其ノ受領ニ付正当ノ権限ヲ有スル者ニ交付スルニ至ラス所謂未発行ノ株券ニ過キスト云フニ在ルカ故ニ原院カ係争物ノ所有権ハ被上告会社ニ存シ柴田伊之助ニ存セスト判定シタルハ正当ニシテ原判決ハ所論ノ如キ違法ノ裁判ニ非ス

原院ノ確定シタル事実ニ依レハ係争物ハ被上告会社ノ株券トシテノ形式ヲ具備スル一ノ文書ナルニ之カ発行ニ先チ上告人（甲銀行）ニ於テ訴外柴田伊之助ニ対スル債券ノ執行保全ノ為伊之助ノ所有物トシテ之カ仮差押ヲ為シタリト云フニ在ルカ故ニ係争物ハ被上告会社ノ所有ニ属スルコト論旨第一点ニ対スル説明ノ如クニシテ縦令経済的価値ナシトスルモ既ニ被上告会社ノ株券トシテノ形式ヲ具備スル以上被上告会社カ之ヲ所有スルト否トハ同会社ノ利害関係ニ影響ヲ及ホスヘキニヨリ被上告会社ハ之ヲ所有スルニ付主観的利益ヲ有スルコト論ヲ俟タス然ラハ被上告会社カ係争物ニ付所有権ヲ主張シテ本件仮差押ノ排除ヲ求ムル本訴ハ利益ナキ訴ナリト云フコトヲ得ス」（大判大一一・七・二二民集一・四一八、松本・判民大正一一年度六一事件）。

右判例の立場は、次の下級審判例にもひきつがれている。まず事実の概要をのべよう。甲会社（控訴人）の株主である乙会社は、被控訴人Bに対して負担している債務の担保のために、甲会社の株式を株券発行前に株金払込領収証ならびに名義書換委任状の交付によつて譲渡した。Bは、甲会社に対し、株券を自己名義に書換えの上、交付すべきことを要求した。これに対し、甲会社は、右株式に対する株券はすでにこれを作成したが、株主乙会社に交付する前に、乙会社の債権者訴外Aによつて仮差押を受けたので、もはやBには交付できない。また、本件株券はすでに作成され、交付の準備を整えた上、甲会社に対し、交付の通知をなしたのであるから、すでに右発行を了した、と主張した。これに対し、判例は、まず株券の発行の意義について、それは株券を株主に交付しその所有権を移転す

ることである、と定め【24】、

【24】　株券ノ発行ハ株券ヲ作成シテ其ノ受領方ヲ株主ニ通知スルヲ以テ足レリトセス進ンテ之ヲ株主ニ交付シ其ノ所有権ヲ移転セラルヘカラサルモノナルヲ以テ如上ノ事実ヲ以テ株券ノ発行アリト為スヲ得サルハ論ナシ（東京控判昭八・一・一二新聞三五二四・一四）。

進んで、未発行株券を株主の所有に属するものとして仮差押えすることは違法であり、したがつて、発行会社としては、このような違法な仮差押があるからといつて、正当な株主に対し株券の交付を拒むことはできないと判示した【25】。

【25】　「尚控訴人（甲会社）ハ右株券ハ同月十五日訴外鈴木与平（A）ノ為メ仮差押ヲ受ケタルヲ以テ控訴会社ハ最早被控訴人（B）ニ右株券ヲ交付スルコト能ハスト抗争シ右鈴木与平カ旭商船商事株式会社（乙会社）ニ対スル金十一万三千余円ノ債券執行保全ノ為メ控訴会社ノ占有ニ係ル未発行ノ本件株券ヲ右債務者会社所有ノ有体動産ナリトシテ之ヲ仮差押ニ付シタル事実ハ……ニ依リ認ムルヲ得ト雖モ右株券ハ前叙ノ如ク未発行ニ係リ未タ以テ旭商船商事株式会社ノ所有ニ属スルモノト為スヲ得ス従テ同会社ノ有スル株券交付請求権ヲ差押フルハ格別右株券ヲ同会社所有ノ有体動産トシテ同会社ニ対スル債券ノ為メニ為サレタル前掲差押ハ到底違法タルヲ免レス従テ右仮差押ノ故ヲ以テ控訴会社ハ正当ナル株主ニ対スル株券交付ノ義務ヲ免ルヘキモノニアラサルヲ以テ控訴人ノ右抗弁亦理由ナシ」（東京控判昭八・一・一二新聞三五二四・一四）。

以上のように、作成後、未発行株券は株主の所有に属せず、一枚の株券用紙として会社の所有に属する故に、株主の債権者は、この株券そのものを株主の所有物として差押えることはできないとの判例の立場に立つても、株主の債権者が株主の有する株券交付請求権を差押えることは認められる【26】。

【26】　「株券ノ如キハ民事訴訟法第六百十四条ニ所謂有体物ニ該当シ本件申請人タル亀井長太郎ハ実ニ抗告

人カ第三債務者タル東洋拓植株式会社ニ対シ有セル株券ノ引渡ノ請求権ニ付キ差押ヲ申請セルモノナルヲ以テ執行裁判所トシテ右申請ヲ受理シ差押命令ヲ発ス可キモノト認メタル原裁判所ハ須ク民事訴訟法第六百十四条ノ規定ニ準拠シ有体動産ノ請求ノ差押ニ関スル同法第六百十五条ノ規定ヲ適用シ第三債務者タル東洋拓植株式会社ニ対シ差押フ可キ債権ノ目的物タル株券ハ之ヲ債務者タル本件申請人ノ委任シタル執達吏ニ引渡ス可キコトヲ命ス可ク尚取立命令ヲ発センコトノ申請アルトキハ民事訴訟法第六百十四条第六百条第六百十七条所定ノ趣旨ニ基キ債権者ニ債権ヲ移転スル為メ取立命令ヲ発スヘキモノナルカ故ニ執行裁判所ハ有体物ノ引渡ノ請求ノ差押ニ付キ絶対的ニ取立命令ヲ発シ得サルモノナリトノ抗告論旨ハ失当ナリト雖モ原裁判所カ本件ノ差押命令ヲ発スルト同時ニ債権者ノ委任シタル執達吏ニ差押債権ノ目的物ヲ引渡ス可キ命令ヲ発セサリシハ違法ナリト謂ハサルヘカラス」(大阪地判明四二・六・一八新聞五八五・一四)。

すなわち、有体物引渡請求権に対する執行として、民事訴訟法六一四条以下の規定に従って差押え得る。前掲判例では、原裁判所は、株券交付請求権の差押および取立命令の申請にもとづき第三債務者たる発行会社に対し、当該株券の債務者への交付を禁じ、債務者に対しては、右請求権の処分を禁ずる旨の命令を発すると同時に、該請求権の目的物たる株券を取立てる命令を発した。しかし、それと同時に債権者の委任した執行吏に、右株券を引渡すべき命令(民訴六二五I)を発していなかった点において違法があるとされた。

なお株券が何時株券としての効力を発生するかの問題については、鈴木「記名株券の特異性」(大阪株懇記念論文集所収)、河本「物としての株券」(同論文集)、小橋「有価証券理論と株券」(法律時報三三巻二号)とを参照されたい。前二者は前掲諸判例に反対の立場を表明し、後者は、判例の立場に立っている。

また、株券の再発行の場合における旧券の回収と新券の効力発生の時期については【49】参照。

三　株券の再発行

一　株券の喪失の場合における再発行

（一）　旧法下（昭和一三年改正前）　汚損等の理由によつて株券を再発行するときは、汚損株券等を回収すれば二重発行の危険はない。しかし株券の滅失、盗難、紛失の場合には、回収は不可能である。そのまま再発行すれば、同一株式について二個の株券が流通するおそれを生ずる。そこで、現行商法二三〇条一項は、「株券ハ公示催告ノ手続ニ依リテ之ヲ無効ト為スコトヲ得」と定め、その第二項において、「株券ヲ喪失シタル者ハ除権判決ヲ得ルニ非ザレバ其ノ再発行ヲ請求スルコトヲ得ズ」と定めている。しかし、この規定は昭和一三年の改正によつて設けられたのである。それ以前は、無記名株券については、公示催告手続により無効宣言をなし得ることに問題はなかつたが（民施五七）、裏書による譲渡方法の認められていなかつた記名株券については、公示催告手続によつてこれを無効とすることができなかつた。そこで、二重発行をさけるために、会社は適当の保証人を立てしめ、かつ請求者の費用をもつて公告をなして、一定期間内に異議を申出でる者がないときは旧株券を無効とし、株券の再発行をなすべき旨を定款で定めるのが普通であつた。ところが、このような事情の下では、株券を他に譲渡または入質しておきながら、喪失したと称して、株券の再発行を受けた者があつたときに、新旧両株券の効力はどうなるかが問題になつた。たとえ右のように虚偽の申立をせずとも、真実喪失した場合でも、それが滅失でない限り、旧株券の存在の可能性があるから、この場合にも同様の問題が生ずる。判例は虚偽の申立の場合はもちろん、現実に滅失していない限り、旧株券は右のような手続による新株券の発行によつては無効にならないとした【27】【28】。

【27】「原審ハ成立ニ争ナキ乙第五号証及ヒ同第六号証ニ依リ上告会社ノ定款ニハ株券ヲ紛失シタル場合ニハ上告会社所定ノ取扱手続ニ依ルヘキコトヲ定メ更ニ上告会社ノ令規タル株式取扱手続ニハ株券ヲ喪失シタルトキハ株主ハ其ノ事由ヲ詳記シ二名以上ノ保証人連署ノ上株券ノ再交付ヲ請求スヘク上告会社ハ右ノ請求ヲ受ケタルトキハ其ノ必要ト認ムル新聞紙ニ其ノ旨ヲ公告シ六十日以上ヲ経過シテ支障ナシト認ムルトキハ新ニ其ノ株券ヲ交付スヘキコトヲ定メタル事実ヲ認定シ尚乙第七号証並甲第一号証ノ一二ニ依リ上告会社ハ右定款所定ノ手続ヲ履践シ本件株券ヲ無効ナリトシテ之ニ代ル新株券ヲ発行シタルコトヲ認定シタリト雖会社カ斯ル手続ニ依リテ株券ヲ無効ナラシムルニハ真ニ株券ヲ紛失シタル場合ニ限ルヘキハ疑ヲ容レサル所ニシテ従テ株主カ株券ヲ他ニ譲渡シタルニ拘ラス之ヲ紛失シタリト称シ会社ニ対シ新株券ノ交付ヲ請求シタル場合ニ於テハ会社カ前記ノ手続ヲ履践シ新株券ヲ発行シタリトスルモ之ニ依リテ譲受人カ適法ニ取得シタル株券ヲ無効ナラシムルコトヲ得サルモノトス若之ヲ否ラストセムカ叙上ノ場合ニ於テ株券ノ譲受人ハ単ニ会社ノ為シタル公告ニ気付カスシテ異議ヲ申立テサリシ一事ニ依リ適法ニ取得シタル株券ノ無効ヲ招来スルニ至リ為ニ適法ナル株券ノ譲受人ヲシテ不測ノ損害ヲ被ラシメ株券取引ノ安全ヲ阻害スルニ至ルヘキコト明ナルヲ以テ前記ノ解釈ヲ以テ正当ナリト云ハサルヘカラス」（大判大一五・一二・二一民集五・八八九、田中（耕）・判民大正一五年度一二三事件、同旨、大判昭七・一二・一三新聞三五〇六・九）。

【28】「苟クモ株主ニ於テ株券カ滅失シタリトシテ会社ニ之レカ再交付ヲ請求シ会社ニ於テ定款ノ手続ヲ履践シ新株券ヲ発行シタル以上ハ其ノ滅失シタリト主張シタル株券カ現実滅失シタルト否トヲ問ハス無効ナルモノトセンカ旧株券ヲ占有スル質権者ハ不測ノ損害ヲ被ムリ其ノ結果株券取引ノ安全ハ之レカ為ニ著シク阻害セラルルニ至ルノ虞レアルヲ以テ上告会社ノ定款ニ株券ヲ滅失シタル場合ニ新株券発行ノ規定ヲ為スモ是ハ株券カ現実ニ滅失シタル場合ニ関スルモノナリト解スルヲ以テ相当トス」（大判昭三・三・一五評論一七商三三七）。

学説の中にも、記名株券について公示催告による除権判決の規定を有しなかつた当時の商法の解釈としては、上述のような判例の見解もやむを得ないところであるとする者もあった（松本・日本会社法論二四〇頁）。しかし、反対に、新株券の取得者は旧株券の取得者以上に無過失であるから（旧株券取得者については不完全ながら異議申立の機会が存する）、新株券取得者を保護するのを正当とする者もあった（田中(耕)・会社法概論四五四頁）。

ところで旧株券が現実に流通しているにもかかわらず、新株券が発行された場合には、新株券が無効であるということになると、損害を被るのは新株券所持人である。ことに会社から新株券の交付を受けた者からさらに取得した者である。この者は何人に対して損害賠償の請求をすることができるか。譲渡人に対しては売主の担保責任を追求することができるであろうが、会社に対しても常に請求ができるのかどうか困難な問題である。この点について、発行会社の側に新株券の発行に際して過失があつたとの認定事実に基いて会社側に損害賠償責任を認めた判例がある【29】。

【29】「原審ハ本件株券カ旧株券ノ存在セルニ拘ラス二重ニ発行セラレタル無効ノモノナル事ヲ判示シタル後其挙示セル証拠ヲ綜合シテ以下記載スルカ如キ事実即チ昭和十一年十月初頃訴外斎藤学二ヨリ上告会社専務取締役中谷秀一ニ対シ其所有ニ係ル二千株ノ株券ヲ紛失シタル旨ノ届出アリタルヲ以テ同取締役ヨリ同訴外人ニ対シ今一応調査セラレタキ旨要望シ置キタル儘上告会社トシテハ何等ノ調査ヲ為ササリシカ其ノ後更ニ同訴外人ヨリ反古ト一緒ニ処分シタルモノノ如ク之ヲ発見シ得サルニヨリ新株券ヲ発行セラレタキ旨ノ要求ニ接シタルヲ以テ上告会社ハ同人ヨリ其当時ノ定款ノ規定ニ則リ同年十二月二十二日附ヲ以テ保証人二名ノ連署アル新株券発行請求書ヲ徴シタルノミニテ何等ノ調査ヲモ為スコトナク即日本件株券ヲ含ム二千株ノ新株券ヲ再発行シ同日右訴外人ヨリ株券紛失ノ届出アリタルコトヲ店頭ニ公告シ次テ其二日後ニ発行セラレタル北国新聞及北国毎日新聞ニ夫々右ノ店頭公告アリタル旨ノ記事ヲ掲載セシメタルコト右新株券発行請求書ニ保証人トシテ連署シアル赤尾弥一及寺本松次郎ノ各署名捺印ハ何レモ偽造ノモノナルコト及前示紛失ノ届出アリタル当時上

告会社ノ従業員タリシ鳥井久太郎ヨリ取締役中谷秀一ニ対シ斎藤学二ハ其ノ持株ヲ他ニ処分シタルカ如キ風評アルヲ以テ新株券ノ発行ハ二重発行トナル虞アル旨進言シタルコトアル等ノ事実ヲ認定シタル上之等ノ事実ニ基キ上告会社ニ本件株券ノ再発行ニ付過失アリタル旨判定セルモノナルコトハ判文上明瞭ナリ而シテ原審ノ認定ニ係ル如上ノ事実ニシテ存在セル以上曩ニ上告会社ノ使用人タル鳥井久太郎ヨリ前示ノ如キ進言アリタルニ拘ラス上告会社ニ於テ保証人赤尾弥一等ニ就キ一言保証ノ真偽ヲ確ムルコトナク其ノ他何等ノ調査ヲモ試ミルコトナク敢テ二千株ト云フカ如キ多数株式ノ株券ヲ再発行スルカ如キハ株券ノ流通性ニ鑑ミルトキハ縦令訴外斎藤学二ト上告会社又ハ中谷秀一トノ間ニ所論ノ如キ関係アリタルニモセヨ又右赤尾弥一等ノ保証ノ趣旨ニシテ所論ノ如シトスルモ猶上告会社ニ過失ノ責アルヲ免レサルモノトス左レハ原審カ右ト同様ノ見解ニ基キ論旨摘録原判示ノ如ク上告会社ノ過失ヲ認定シタルハ洵ニ正当ニシテ之ト異ル上告人ノ見解ハ採用シ難シ。

原審ノ確定セル事実ニ依レハ被上告人ハ本件株券ノ一部ヲ訴外斎藤学二ノ設定セル質権ノ実行ニ因ル競売手続ニ於テ競落シ又他ノ一部ヲ直接同人ヨリ買受ケ夫々其ノ代金ノ支払ヲ完了シタルトコロ右株券ハ上告会社カ過失ニ因リ旧株券ノ存在セルヲ知ラスシテ再発行シタル無効ノモノナリシカ為メ被上告人ハ右支出セル代金総額ニ相当スル損害ヲ被リタリト云フニ在ルヲ以テ若シ上告会社ニシテ本件株券ヲ再発行スルコトナカリセハ訴外斎藤学二ニ於テ之ヲ質入シ又ハ売却スルコトヲ得サリシナルヘク又従テ被上告人ニ於テ之ヲ競落シ又ハ買受ケテ其ノ代金ノ支払ヲ為シ之ニ相当スル損害ヲ被ルコトモナカリシモノト云フヲ得ヘク而モ斯ル無効ノ株券ニシテ発行セラルルトキハ株券ノ性質上他ニ転輾セラレ其ノ他人ニ於テ前示ノ如キ損害ヲ被ルコトアルヘキハ其ノ発行ノ当時ニ於テ何人モ容易ニ予想シ得ルトコロナルヲ以テ上告会社ノ過失ニ因ル本件株券ノ再発行ト被上告人ノ被リタル前示損害トノ間ニハ相当因果関係存スルモノト云フヲ妨ケス左レハ原審カ右両者間ニ因果関係存スル旨判示シタルハ正当ニシテ之ニ反スル上告人ノ見解ハ採用シ難シ而シテ上告会社ノ違法ナル本件株券ノ再発行ニ因リ上告人ニ前示ノ如キ損害ノ生シタルコト明カナル以上他ニ特段ノ事由ナキ限リ上告会社ニ対シ之カ損害ノ賠償ヲ命スヘキハ当然ニシテ斯ル場合ニ上告会社ノ違法ナル株券再発行カ被上告人ノ如何ナル権利ヲ侵害シタルヤハ必シモ之ヲ明示スルコトヲ要スルモノニ非サレハ原審ハ此ノ点ニ付特ニ説明ヲ加フルヿトナク

シテ上告人ニ対シ前示損害ノ賠償ヲ命シタルハ違法ヲ以テ目スヘキ限ニ在ラス」(大判昭一八・七・一四新聞四八六〇・五)。

この判決は、会社側に過失があることの事実認定の上に立つているものであるが、会社の責任はこの場合に限つて認める趣旨なのか、明らかでない。また滅失でなく盗難遺失等の理由で発行するときは、旧株券の流通している可能性は当然考えられる。このような場合にも会社に責任を負わすのか、考えれば種々の難問がでてくる。昭和一三年の改正にあたつて、以上の点に関する立法の不備が補われ、株券は無記名式たると記名式たるとを問わず、公示催告手続によつてこれを無効となしうることになり、かつ株券を喪失した者は、除権判決をうるのでなければ、株券の再発行を請求し得ないことになつた。以下において、現行法のもとにおける株券の公示催告手続についてのべるわけであるが、本書の性質上、叙述はおのずから判例のあるところを中心に行われることになる。

㈡　公示催告手続

(1)　管轄裁判所　民事訴訟法七七九条第一項によれば、本手続の管轄裁判所は、証書に履行地の記載があるときは、その地の裁判所であり、もし証書にその履行地の表示がないときは、発行人が普通裁判籍を有する地の裁判所ということになつている。そして、株券は履行地が表示されている証書とはいえないから、その発行人である会社が普通裁判籍を有する地、すなわち、本店所在地の簡易裁判所が管轄権を有するとするのが判例である【30】【31】【32】。

【30】「証書についての公示催告手続については、証書にその履行地が表示されていない場合、発行人が普通裁判籍を有する地の裁判所が管轄するものであることは民訴法七七九条一項の規定するところであるから、本

件の場合、管轄裁判所は東京簡易裁判所である。株券を被告主張のような権利を表象する証券と解してみても、このことから直ちに前記株券を履行地の表示ある証書と認めることは出来ない」（東京地判昭三二・一一・一四大阪株懇編最新株式会社判例総覧七〇、七一、七二事件）。

この判例の事案では、株券は利益配当を受ける期待権を表彰するものと認めるべきであり、かつこの期待権の履行地は株券所持人の住所地であるから、公示催告手続については、株券所持人の住所地を管轄する簡易裁判所が管轄権をもつと解すべきであると、被告が主張した。これに対し裁判所は、株券がそのような権利を表彰するものだとしても、このことから本件株券を履行地の表示ある証書とみることはできない、として前述の如く判示した。これに対し後掲の【32】の判例は、元来、株券は履行されるべき債務を表彰する証書ではないから、観念上履行地なるものは存在しない、との立場から発行会社が普通裁判籍を有する地の区裁判所が管轄権を有するとする。ただ、この判例【32】は、株券の公示催告管轄裁判所はどこであるか疑いなきを得ないが、無記名式、記名式の区別を問わず株券に一律に公示催告手続を許している商法二三〇条の法意に鑑みて、右の結論を引き出しているところよりみて、株券を、直ちに民訴法七七九条第一項の履行地を表示せざる証書と見ているのでもないようである。この点については内外の学説は、発行会社が普通裁判籍を有する地の裁判所が管轄権を有するとすることに、いまのところは一致している（Stein Jonas, ZPO II, § 1005, I, 2: Struckmann und Koch, Zivilprozessordnung für das Deutsche Reich, S. 951, Godin-Wilhelmi, Aktiengesetz, § 277 高橋・前掲書二五五頁）。しかし、理由づけ等については問題がないではないな。

なお、本手続の管轄裁判所については、かつての南満州鉄道株式会社の株券につき、問題になつたことがある。すなわち、同社の株券の公示催告管轄裁判所は、同社が普通裁判籍を有する地の裁判所であることについては問題はなかつたが、その普通裁判籍はどこにあるかをめぐつて争われた。当時施行の共通法第十九条第一項によれば、関東州に本社を有する法人の裁判管轄に関しては、民訴法中外国法人の裁判管轄に関する規定を準用すると定めていた。そして民訴法四条三項は、外国法人の普通裁判籍は、日本における事務所または営業所によつて定めると規定している。したがつて、同社が東京市に支社を有する以上、東京区裁判所が管轄裁判所と解されるべきところ、原決定は、これを否定的に解した【31】。

【31】「尤モ民事訴訟法第七百七十九条第一項後段ニ於テハ履行地ノ表示ナキ証書ニ付テノ公示催告ハ発行人カ普通裁判籍ヲ有スル地ノ裁判所之ヲ管轄スト規定シ共通法第九条第一項ハ他ノ地域ノ法人ノ裁判管轄ニ関シテハ民事訴訟法中外国法人ノ裁判管轄ニ関スル規定ヲ準用スト規定シ民事訴訟法第四条第三項ハ外国法人ノ普通裁判籍ハ日本ニ於ケル事務所又ハ営業所ニ依リ定ムル旨規定スルヲ以テ恰モ南満州鉄道株式会社ハ東京市ニ支社ヲ有スルヲ以テ同会社ノ株券ニ付テハ当裁判所カ管轄権ヲ有スルニ似タリト雖右共通法ノ規定ハ他ノ地域ノ法人ニ対シ訴訟ヲ提起スル場合ノ管轄ニ関スル規定ニシテ同法第十条第一項カ一ノ地域ニ主タル営業所又ハ住所ヲ有スル者ニ対シテ其ノ地域ニ於テノミ破産ノ宣告ヲ為スコトヲ得ト規定シタル趣旨ニ鑑ミルモ内地ニ本店ヲ有シ関東州ニ支店ヲ有スル株式会社ノ株券ニ付関東地方法院ニ於テ除権判決ヲ為シ得サルト同様関東州ニ本店ヲ有シ東京市ニ支社ヲ有スル株式会社ノ株券ニ付テモ当裁判所ニ於テ除権判決ヲ為シ得サルヘク株券ノ公示催告手続ノ如キハ会社ノ本店（又ハ本社）所在地ヲ管轄スル裁判所又ハ法院ノミカ之ヲ管轄スヘキモノト解スルヲ相当トス」（東京区決昭一五・一二・二三新報六〇七・一三商判集追Ⅱ一三七）。

右判決の理由は、要するに、共通法の規定は他の地域の法人に対し訴訟を提起する場合に関する規定であつて、公示催告手続には適用がないとするものであつた。しかし、これは次にかかげる地裁決定をもつて取消された【32】。

【32】「案スルニ公示催告手続ハ証書ニ表示シタル履行地裁判所之ヲ管轄シ若シ証書ニ其ノ履行地ヲ表示セサルトキハ発行人カ普通裁判籍ヲ有スル地ノ裁判所之ヲ管轄スルコトハ民事訴訟法第七百七十九条ノ定ムルトコロト雖モ元来株券ハ履行サルヘキ債務ヲ表象スル証書ニ非サルヲ以テ観念上履行地ナルモノ存セス従テ之カ公示催告手続ニ依ル無効宣言ヲ為スニ付如何ナル裁判所ヲ以テ管轄裁判所ト為スヘキカニ付疑ナキ能ハス然レトモ現行商法カ株券ニ付其ノ無記名式ナルト記名式ナルトヲ問ハス一率ニ公示催告手続ヲ許シ（商法第二百三十条）タル法意ニ鑑ミルトキハ株券ニ付テハ公示催告申立当時ニ於テ発行人カ普通裁判籍ヲ有スル地ノ区裁判所ヲ以テ管轄裁判所ト解スルヲ相当トス而シテ本件株券ヲ発行シタル南満州株式会社ノ本社ハ関東州大連市ニ存スルモ日本ニ於ケル事務所トシテ其ノ支社カ東京ニ存スルコト顕著ナル事実ニシテ関東州カ共通法ノ適用上一ノ地域トナリ居ルコト同法第一条第一項ノ明定スルトコロナレハ同法第九条第一項民事訴訟法第四条第三項ニ依リ同会社ノ日本ニ於ケル普通裁判籍ハ東京市ニ存スルモノト謂フヘク従テ本件公示催告手続ノ管轄裁判所ハ右東京市ヲ管轄スル東京区裁判所ナルコト多言ヲ要セス然ラハ本件公示催告手続ニ付東京区裁判所ニ管轄権ナシトシテ除権判決ノ申立ヲ却下シタル原判決ハ不当ニシテ本件抗告ハ右ノ点ニ理由アリ原決定ハ取消ヲ免レス」（東京地決年月日不詳新報六一一四・一七、商判集追Ⅱ一三七）。

戦後、東京高等裁判所も、台湾屏東市に本店を有する台湾製糖株式会社の株券について、その東京出張所の所在地を管轄する東京区裁判所（渋谷簡易裁判所）が、公示催告管轄権を有すると判示した【33】。

【33】「管轄権につき按ずるに、台湾はポツダム宣言によつて、我国の領土でないことに定められている。ところが記録第一七丁編綴の証明願末尾の記載によれば、台湾製糖株式会社は台湾高雄州屏東市竹園町六十番地に本店を有しているのであるから、右会社が日本商法に準拠して設立されたものであること及びその株主

の過半数が日本人であることは、記録第三四丁編綴の調査嘱託書回答で明であるが、内国会社ではなく民事訴訟法第四条第三項に所謂「外国の社団」に準ずべきものと解するのを相当とするから、同項を準用してその普通裁判籍は、日本に於ける事務所の所在地を管轄する裁判所がこれを有するものというべきである。然るに、前記調査嘱託書回答によれば、東京都渋谷区代々木西原町九百二十一番地に、右会社の東京出張所が存することは明であるから、本件申立当時に於ては、民事訴訟法第七百七十九条第七百六十四条第二項により右東京出張所所在地を管轄する東京区裁判所（現在に於ては改正せられた右法条により渋谷簡易裁判所）が、右会社の株券に関する公示催告の申立につき管轄権を有していたものといわねばならぬ」（東京高決昭二四・二・一七裁時三〇・四）。

ただ、この事案では、株券に関する公示催告の申立が昭和二〇年大蔵省令第八八号により大蔵大臣の許可を要するのにその許可を得ていないとの理由でもつて、結局、申立は却下された。この問題については、後述する（【41】参照）。

公示催告手続の管轄は専属管轄と解されているが、管轄権を有しない裁判所がなした公示催告の公告にもとづいてなされた除権判決に対しては、不服を申立てることはできない。このことを認めた下級審判例がある【47】。この問題については、除権判決に対する不服の訴のところで考察することにする。

(2)　申立権者　公示催告の申立権者については、民訴法七七八条がこれを定めているが、この規定そのものに関した判例は存在しない。ただ、終戦後の特殊な問題として外地引揚者が外地で喪失した株券について申立権を有するかが問題になつたことがある。すなわち、昭和二〇年一〇月一五日大蔵省令第八八号（「外国為替管理法第一条及昭和二十年勅令第五百七十八号金、銀又ハ白金ノ地金又ハ合金ノ輸入ノ制限又ハ禁止等ニ関スル件ノ規定ニ依リ金、銀、有価証券等ノ輸出入等ニ関スル金融取引ノ取締ニ関スル件」―現在廃止）第二条第二号には、「昭和十六年十二月七日以降ニ於テ外国居住者ガ直接又ハ間接ニ全部又ハ一部ヲ所有又ハ管理スル本邦内ニ在ル財産」については大蔵大臣の許可を得なければ、「売買、取得、譲渡、支払、持出、処分(原状変更ヲ含ム)、輸出若ハ輸入、一切ノ財産ノ商取引又ハ一切ノ財産ニ関スル権利、権限若ハ特権ノ行使」をなすことができないと定めていた。ところで、その事案では、再抗告人は終戦により、沖縄大東島より引揚げ帰国した者であつて、東京都神田区に本店を有する日東化学工業株式会社一〇株券五枚を所有していたが、同島に在留中昭和二〇年五月一日台南市の留守宅が戦災にあい、右の株券が焼失したので、東京区裁判所に公示催告の申立をしたところ、同裁判所はこの申立を却下した。そこで原審に抗告したところが、棄却された。その理由は、「本件公示催告の申立は外国居住者であつた抗告人が昭和一六年一二月七日以降に於て直接所有又は管理する本邦内にある財産の取引」であるから、公示催告の申立には大蔵大臣の許可を要する、ということであつた。そこで、(1)引揚帰国者は、同令第二条第二号にいわゆる「外国居住者」に当らないこと、および(2)公示催告の申立は同条にいわゆる「取引」に該当しないとの理由をもつて再抗告がなされた。第二の点については後述するとして(五九頁)、第一の点に関しては、裁判所は次のような理由をもつて、その再抗告を認めた【34】。

【34】「昭和二十年大蔵省令第八十八号第二条に謂ふところの「外国居住者」とは同条所定の取引の行はれる時を標準として之を決めるべきものと解するを相当とする。本件疎明書類によると抗告人は本件公示催告申立当時は既に外地を引揚げ本邦内に居住中であることが明かであるから、抗告人は同条に謂ふところの「外国居住者」に該当しないと解するを相当とする」(東京高決昭二二・九・二九裁時二・三、鈴木・判例研究一巻七五頁)。

(3)　公示催告の公告　公示催告の申立が、形式的実質的要件をそなえる場合には、裁判所は公示催告の公告をなすことになる。この公告は、民訴法七八二条二項によつて、公示催告裁判所の所在地に取引所があるときは、取引所においても、これをしなければならないことに定められている。ところが東京簡易裁判所のなす公示催告の公告については、東京証券取引所での公告は必要でない、との最高裁判所判例が、反対の少数意見を伴つて出された【35】。

【35】「記録によれば上告人が原審において民訴七八二条二項に定める取引所における公告を欠くことをもつて除権判決に対する不服申立の理由の一として主張しているものと認めるの外はない（当初上告人は新聞紙及び取引所における公告の欠缺を主張し後新聞紙についての主張のみを撤回したものと認められる）。従つて、上告人の請求を排斥するにつき右の主張について判断を加えた形跡が認められない原判決に判断遺脱の違法があるとする所論は理由があるものといわなければならない。しかし、本件公示催告裁判所である東京簡易裁判所の所在地は、「下級裁判所の設立及び管轄区域に関する法律」別表第四表において「東京都千代田区」と定められており、民訴七八二条二項の取引所と認むべき東京証券取引所が当時右千代田区内に存しないことは明らかであるから、同条項の「公示催告裁判所ノ所在地ニ取引所アルトキ」に当らないものというの外なく、本件公示催告手続において東京証券取引所における公告を欠いても、民訴七七四条二項二号に該当するものではないと解すべきである。従つて、前記原判決の違法は、結局において、本件除権判決に対する不服申立を理由なきものとして排斥した原判決に影響を及ぼすものではないから、これがため原判決を破棄する理由とはならない。」

左の少数意見を除き、裁判官全員の一致で棄却

裁判官小谷勝重の少数意見

民訴法上「裁判所ノ所在地」と規定されている条項は多数ある（例えば、一七〇条、四四二条、五二七条、五九〇条、六四六条、六六九条、七〇九条、七七四条、七八二条等）。そして右「所在地」とは、従来「最小行政区劃」である地と解されている。そこで、民訴七八二条二項の「公示催告裁判所ノ所在地ニ取引所アルトキハ取引所ニモ亦此公告ヲ掲示ス可シ」とある、「裁判所ノ所在地」の意義も右と同様に解釈すべきものであろうか。問題はこの点に存するのである。新憲法実施による裁判所制度の改革に伴い、昭和二二年区裁判所が

廃止された結果、昭和二三年法律第一四九号により、公示催告手続の管轄裁判所を定めた民訴七六四条二項が改正され、従来区裁判所の管轄であつたのが簡易裁判所の管轄に改正された結果、本件公示催告手続は東京簡易裁判所で受理手続がなされたものである。そこで順序上、先づ東京区裁判所管轄当時のことから説明すると、同区裁判所は古い時代は省略して、明治二九年一二月司法省告示第八〇号による東京市麹町区（八重洲町二丁目三番地）及び明治三一年一二月司法省告示第一八号による東京市芝区（巴町三番地）当時より、大正九年より昭和二二年同裁判所の廃止されるまでの間は、大正九年七月司法省告示第二八号により、同裁判所は「東京市麹町区」（西日比谷町一番地）にあり、この間昭和一八年東京都制の実施後同地は「東京都千代田区」となつたのであるが（すなわち昭和二二年三月五日東京都告示第一二七号により、同年三月一五日より「千代田区」となる）、同裁判所の所在場所そのものには何等の変更がなかつたのである（戦災等による仮庁舎移転の期間を除く）。そして市制時代も、都制時代も、また現制地方自治法時代においても、東京の「区」は市または都とは別個の最小行政区劃をなす法人であり（市制六条、明治四四年勅令第二三九号、東京都制一四〇条、地方自治法一条の二、二条、二八一条）、したがつて東京区裁判所の右最後の所在地は従来どおりの説によると、その地の最小行政区劃である「麹町区」または「千代田区」が所在地となるのである。これによれば右麹町区または千代田区には民訴七八二条二項に該当する取引所はないのであつて、ただ東京区裁判所の管轄区域は市制当時は東京市の全区域とその他の或る郡部と島地、都制当時は東京都のうちの区の存する全区域とその他二十三の島地であつたから、右管轄区域内である市制当時の日本橋区（兜町一丁目）、都制後の中央区（日本橋兜町一丁目）に東京株式取引所または東京証券取引所（昭和一八年以降）があるのである。そして東京区裁判所はその存置の時期を通じ右東京株式取引所に民訴七八二条二項に該当する公告掲示をなし来つたことは、当最高裁判所に顕著な事実である。しかし右取引所の公告掲示は民訴七八二条二項の解釈適用としてなされたものであるか、また便宜的な行政的措置としてなされたものであるかは今日その資料を詳らかならしめ得ないのであるけれども、むしろ積極的な特別資料が発見されない限り、また右は数十年間実施され来つたところから考えても、右は民訴同条項の解釈適用の結果であると解するのが、素直な解し方であるとしなければならない。けだし民訴法所定の公示催告手続における取引所公告掲示の如き重要なる事項は法令の解釈適用の結果でなければ裁判所は容易になすものとは信ぜられないからである。そうすると、民訴七八二条二項の「公示催告裁判所ノ所在地ニ取引所アルトキ」との「裁判所の所在地」とはこの場合「裁判所の管轄区域」と解釈したものと信じなければならない。そしてわたくしはこの解釈は正当であると信ずるのである。そもそも公示催告手続殊に株券に関する公示催告手続の性質及びその目的たる失権の効果（民訴七六四条、七八四条）の重要性に鑑みるとき、申立人自身においてなすべき「詳細ナル探知」（民訴七六九条二項）の如きはいうまでもないところであつて、公示催告手続の中心となり根幹となる課題はその名の示す如く「公示」すなわち「公告」の一事に尽きておるものであることは、民訴第七編同手続の各条項、殊にその七六六条、七六七条、七七四条二項二号、七八二条、七八三条等によりまことに明らかであるといわなければならない。されば公示催告手続における「公告」に関する規定は公示催告手続の目的とその効果を過不足なく完うするように解釈され運用されねばならないことはいうまでもないところである。若しそれ、「裁判所ノ所在地」とは「最小行政区劃」たる地であり、その地内には取引所は存しないとの一片の形式的な解釈をもつて事は足れりと解するが如きは、公示催告手続・就中株券に関する同手続の何者たるやを理解せざる者の言といわなければならない。況んやわが国の政治・経済・文化の中心都市たる東京都において、その都の中央区(区名また然り)に存在する証券取引所に民訴七八二条二項の公告は無用であり否公告すべきものでない、というが如き解釈が果して条理のよく認容するところであろうか。すなわち叙上の如き解釈はわが経済社会における国民生活上到底首肯し得ないところであり、株式に関する取引の安全と正当なる権利を保護せんとする公示催告手続の法の精神に甚しく背馳するものといわなければならない。さて、新憲法により、裁判所制度の改革により、旧東京区裁判所の管轄区域内には一五の簡易裁判所(東京、新宿、台東、墨田、大森、渋谷、中野、豊島、東京北、足立、葛飾、江戸川、八丈島、伊豆大島、新島)が設置されるに至つた。そして既掲昭和二三年法律第一四九号（施行同二四年一月一日）により民訴七六四条二項の改正の結果、公示催告手続の管轄裁判所は、一つの東京区裁判所の管轄から右一五の新たな簡易裁判所の管轄に分割されるに至つたわけである。その結果民訴七八二条二項取引所公告掲示の規定に重大なる影響を及ぼすことが燎然として明らかとなつたにかかわらず、右昭和二三年法律第一四九号による公示催告手続の管轄裁判所に関する民訴七六四条二項の改正に当り、この改正に対応する取引所の公告掲示に関する同七八二条二項の改正措置を講ぜずして放置したことは、まことに立法上重大なる過誤であつたといわなければならない。そして右簡易裁判所のうち、東京簡易裁判所は東京都「千代田区」がその所在地であり、したがつて「裁判所ノ所在地」に関する一般的の解釈ではこの地には取引所は存在せず、ただ同裁判所の管轄区域は、「千代田区、中央区、港区、文京区」(昭和二二年法律第六三号、下級裁判所の設立及び管轄区域に関する法律別表第五表)であるから、この点より東京簡易裁判所のみはその管轄区域内たる右「中央区」に東京証券取引所があるから、既述東京区裁判所当時と同様の解釈(すなわち民訴七八二条二項の「公示催告裁判所ノ所在地」とは「……裁判所の管轄区域」との解釈)によれば、わずかに同裁判所による公示催告手続のみが同取引所に公告掲示を要するに過ぎないのであつて、爾余の東京区裁判所管轄区域であつた地域にある既掲東京簡易裁判所以外の一四の簡易裁判所は勿論、右のうち東京都のうち区の存する地域内に在る同掲一一の簡易裁判所においてすら右取引所の公告掲示はこれをすることを要しないこととなつたのである。そして、裁判所制度の改革による公示催告の管轄裁判所の変更は、ただいわゆる事物管轄として地方裁判所でなく簡易裁判所の管轄に変更しただけであつて、取引所における公告掲示の制そのものを廃止または制限する必要があつたために簡易裁判所の管轄に変更したものでないことは、これに関する民訴七八二条二項はそのまま存置された一事によつても明らかであることというまでもないところであるから、叙上の全沿革に照すときは、旧東京区裁判所の管轄区域内である地をその所在地とする各簡易裁判所はすべて東京証券取引所に公告掲示をするを要するものと解することがむしろ法の精神に合致する如く一応も二応もその感がするのである。しかし斯くては沿革重視に偏倚し、あまりにも右改正後における法条の明文を無視した解釈であるとのそしりを免れないものであつて、右は全く立法上の不備欠陥として、ただ急速且つ適正な改正立法の措置に俟つの外なきものと解するを正当と信ぜられるのである。しかし東京簡易裁判所だけは旧東京区裁判所当時の解釈と同様、東京簡易裁判所の「管轄区域」に在る東京証券取引所に対し、当該公告掲示をするを要することは勿論であるといわなければならない。以上の如くであるから、本件公示催告手続の管轄裁判所（本件の管轄裁判所、民訴七七九条参照）である東京簡易裁判所が右公告掲示の手続を欠いたときは民訴七七四条二項二号により本件除権判決に対する不服申立の事由となるものであり、戦時民事特別法三条の規定は現在なおその効力を有するものではあるが、右は「裁判所カ官報及新聞紙ヲ以テ為スヘキ公告ハ官報ノミヲ以テ之ヲ為ス」とあつて、民訴七八二条二項の取引所の公告掲示はこれに該当しないから、右の公告掲示を欠いておるとの上告人の主張に対し、何ら判断を与えていない原判決は違法であり、そして右判断遺脱の違法は当然判決に影響を及ぼすものであること明らかであるから、論旨は理由があつて、原判決はこの点において破棄を免れず、したがつて右公告掲示の有無を審査せしめるため事件を原審へ差し戻すべきものとする。しかるに多数意見は叙上管轄裁判所の変遷並びに東京区裁判所の管轄当時数十年の長きにわたり既述取引所公告掲示を実施していたこと、尚最高裁判所に顕著な事実に対し一顧の説示をも与えず、ただ民訴七八二条二項の「裁判所ノ所在地」とあるに対する一片の形式解釈の下に本点論旨を排斥し去つたのは、わたくしの到底賛同し得ないところである（以下省略）」（最判昭三二・二・二二民集一一・三二九、中野・民商法三六巻二号、大場・最高裁判所判例解説民事篇昭和三二年度五六頁）。

多数意見は、要するに、民訴七八二条二項にいわゆる「公示催告裁判所ノ所在地ニ取引所アルトキ」とはその公示催告裁判所、すなわち、本件では東京簡易裁判所の所在地内に取引所が存在するときは、との意味である。ところが、右裁判所の所在地は「東京都千代田区」と定められており、他方、同条項にいわゆる取引所に該当する東京証券取引所は中央区にあつて、千代田区にはない。故に、右条項の定める場合に該当しない、というにある。

これに対し、少数説は、相当長文ではあるが、要するに、民訴七八二条二項に「裁判所ノ所在地」といつているところの所在地とは、これを最小行政区劃の意と解すべきでなく、管轄区域と解すべきであるというに帰する。この結論を引き出すために、少数意見は、公告の沿革ならびに公示催告手続の法の精神を主張する。すなわち、東京区裁判所時代数十年間にわたつて、右裁判所は、その所在地域外に存在するところの東京証券取引所において公告を行つてきているが、これは民訴七八二条二項の「公示催告裁判所ノ所在地ニ取引所アルトキ」との「裁判所ノ所在地」を裁判所の管轄区域と解していたものと考えられ、そして公示催告手続における公告の重要性を考えるときは、法の精神よりしてこの解釈は正しいと思われる、とするものである。

なお、右少数意見は、現行法の解釈としても、上述の見解を貫こうとするものであるが、昭和二四年一月一日以降、東京区裁判所の管轄が一五の簡易裁判所の管轄に分割されてからは、右の解釈をとつても、右一五の簡易裁判所のうち、東京簡易裁判所の行う公示催告のみが、東京証券取引所で公告されることになるにすぎず、それ以外の簡易裁判所のなす公示催告は右取引所で公告されないことは、これを認める。もつとも、昭和三〇年九月一七日の日附をもつて東京地方裁判所長より、同地方裁判所管内各簡易裁判所の受理する公示催告手続については、すべて東京証券取引所に民訴七八二条二項所定の公告掲示をなすように取り計われたしとの通達が出されているが、これは行政的便宜的な指示通達にすぎないから、この点を立法的措置によつて明確にすべきことを、右少数意見は提案している。

学説としては、中野・前掲判批は多数意見の結論に賛成する。そして前述の少数意見に対しては、立法論としてこれを片づけ、民事訴訟法にいう、裁判所の「所在地」は、一般的には、裁判所の所在する最小行政劃を指すものと解するほかなく、民訴七八二条二項の場合にも、やはりその例にもれないものとする。ただ、そのことから生ずる実際上の不当かつ不公平な結果を除くために、早急な立法的な解決の必要を提案され、立法の方向として民訴七八二条二項を改正して、公示催告裁判所の所在地を管轄する地方裁判所の管轄区域内に取引所があるときは、つねに取引所にも公告をなすべきものとするのを妥当とされる。

私も、判例の多数意見に賛成すべきものと思う。なぜならば、公示方法に関する民訴七八二条二項に対する違反は、七七四条二項第二号によつて不服申立の理由になり、その結果、一方においては、いつたん無効となつた株券が再び有効であつたことになり、他方においてもし新株券が発行されていたならば、これは無効となると解さざるを得ない（鈴木・除権判決民訴法講座五巻一五〇一頁註一〇）。除権判決に対する不服の申立がいれられることから生ずるこのような重大な結果を考えると、不服申立の理由はこれを厳格に解釈しなければならないのであつて、みだりに慣習とか、法の精神とかいうような不明確なものによつて解釈することは許されないといわねばならない。したがつて、民訴法上、裁判所の所在地という場合、それは一般に裁判所の所在する最小行政区劃を指すものとの解釈が確定しているのであれば、民訴七八二条二項の解釈についてもこれに従うべきものと考える。ただし、少数意見に傾く説もある（ジュリスト選書「株券」一八〇頁）。

なお、東京都については右のようにいえるとしても、その他の指定市（大阪市、名古屋市、京都市、横浜市、神戸市）については、なお問題が残る。それは少数意見の指摘しているところであるが、これらの市にあつては市自体が最小行政区劃なのか、それともその区が最小行政区劃なのかという点についての疑問である（中野・前掲判批は後者と当然に解されている如くである）。

(4)　公示催告申立の効果　公示催告の申立がいれられて、公告がなされたとしても、これによつて喪失株券の資格授与的効力は何らの影響をも受けないから、善意取得も有効に行われ得るし、会社は喪失株券に基く名義書換の請求に応じることによつて、完全に免責され得る。したがつて、公示催告中であつても、会社としては、当該株券にもとづく名義書換請求者の権利者たることにつき疑うべき相当の理由のない限り、名義書換の請求を拒めば、履行遅滞の責を免れない【36】。

【36】「公示期間中会社に対し当該株券を提示して株主名簿並に株券の名義書換を請求する第三者があつた場合、右第三者が実質上の権利者であることもありうべきであるから、会社は単に当該株券につき喪失を理由とする公示催告の申立があるという一事を以て書換を拒むことを得ない」（最判昭二九・二・一九民集八・五二三、なおこの判例の詳細については【40】頁参照）。

同旨の下級審判例もある（大阪高判昭三二・三・四民集一〇・一〇二、東京地判昭二五・一一・二〇下級民集一・一八八〇）。

ところで、右のようにして名義書換がなされても、株券所持人が権利の届出をせずに公示催告期間が徒過すれば、除権判決がなされる。そして名義書換ずみの株券についても除権判決の効力が及ぶと解する以上（問題があるが、その点については後述する）、当該株券の所持人は損害を被らざるを得ない。そこで、名義書換をなす際に、会社が当該株券についての公示催告の事実を知りまたは知りうるべきであつたときに、その事実を会社は株券所持人に告げる義務があるかどうかが問題となる。この義務を認めた簡易裁判所の判決がある。その判決の事案の概要を、第二審【38】で認定された事実をも参照してのべるならば、それは次のとおりである。原告Aは、昭和二五年三月訴外Bに対する貸金の担保として、訴外C名義の、被告甲会社発行の本件株券（百株券二枚）の占有を白紙委任状付きで取得した。ところが、この株券はCが盗取されたものであつて、添付の白紙委任状は偽造のものであつた。原告Aは、昭和二五年六月、株券を処分するために、甲会社に対し右株券の名義書換を請求したところ、添付の白紙委任状の印鑑が届出印鑑と相違するとの理由で、名義書換を拒絶された。そこで、原告は、東京地方裁判所所属執行吏に株券の競売を委任し、同年七月二七日の競売において、原告みずからこれを競落し、裁判所の名義書換授権書により同年九月二日名義書換を受けた。この間において、本件株券の喪失者であるCは昭和二五年二月二三日に被告会社より株券喪失の届出に基き、株券発行証明書の交付を受け、公示催告の申立をなし、同年一一月二七日に除権判決を受けた。次いで翌一二月に原告は被告会社より、右除権判決により原告の株主権を無効とする通告を受けた。そこで、原告は被告会社に対し、(1)名義書換後の株券には除権判決の効力は及ばないから、原告が取得した株主権は右除権判決によつて影響を受けない。故に株主権の確認を求める。もしこの主張がいれられないとしても、(2)被告会社は、公示催告の申立をなすに必要な株券発行証明書を発行している以上、本件株券につき公示催告申立がなされることを知つているのであるから、官報の公告には当然注意して、このことを株券原簿等に記入する等して明瞭ならしめ、後日その株券につき名義書換請求をなす者があるときは、この事実を告げてその注意を促すことは、いやしくも自ら発行した株券とこれに基く株主の権利をよう護するため、株式会社に課せられた当然の義務である。しかるに被告会社は右事実を告げず滞りなく名義書換をなし、原告をして権利の届出をなす機会を失わしめたのであるから、原告の受けた損害は被告の過失による右告知義務違反にもとづくというべきであるとして、株券競落代金二万六千円(第一審では二万八千円請求したが、第二審で二万六千円に減縮した)ならびに遅延損害金を請求した。これに対して裁判所は、(1)の請求は理由なしとしてこれをしりぞけたが、(2)の請求を認め、しかも原告の主張以上に重い注意義務を発行会社に課した【37】。

【37】「株券の公示催告申立を為すに当つては催告を求める株券の発行証明を提出するを通常とし其証明を求める者は其用途を告げて会社証明を求めるので本件に付て言へば訴外井上富蔵(C)が株主であることは株券に表示されて居るので其株券によつて株主たることを証明出来ないといふのは株券の所持を失つたから被告に其旨を告げて株主たることの証明を求めたので其使用目的は公示催告申立の用に供するものであることは被告が知つて居る筈のものである（文章におかしいところがあるが、原文のまま引用する）。仮りに其使用目的を被告会社（甲会社）が知らずして其証明書を出したものとしても株券を発行した会社は何時自己の発行した株券の無効を宣言されるか判らないから発行株に付て重大なる関係のある官報の公示催告掲載には常に注意を怠つてはならない。そして官報に其発行株に付公示催告があつたときは名義書換請求をする者に公示催告中のものであることを告げ其善処を求めるべきは其会社の株主たることを求める者に対する当然の責務である。本件株券に付昭和二十五年五月三十一日官報に公示催告の掲載があつたことは当裁判所に顕著な事実である。原告が同年九月二日名義変更を被告に求めた時に其株券が公示催告中のものであることを原告に告げなかつたことは被告の明に争はないところである。其株券名義変更を求めた原告に右の事実を告げなかつたため原告は公示催告中の株券であることを知らず権利の届出をしなかつたため除権判決により原告が株主権を喪失したのであるから被告が原告に注意することを怠つたことに付重大なる過失があつたものと認める。其結果原告が株主権を失つたために蒙つた損害は被告が賠償すべきである」（東京簡判昭二六・一二・一九判決謄本による）。

【38】　右の事件は、控訴審では「株券が盗み出されて、偽造の名義書換委任状が添付されたものであり、そのため会社から名義書換の請求は拒否され、更に質権が設定されて競売処分がされたものであり、その後名義書換はされたが旧法施行時のものであり、無権利者が競売をしたのであつて、被控訴人（原審の損害賠償請求者）は何等権利を取得するものでない」との理由でもつて、原告（控訴人）が敗訴した（東京地判昭二七・一二・一七判決謄本による）。

会社の告知義務有無の問題は、名義書換後の株券に除権判決の効力が及ぶかどうかの点をいかに解するかによつて、意義が全く変つてくる。すなわち、いつたん名義書換のなされた株券には除権判決の効力は及ばないとの立場に立てば、名義人たる株券所持人には何らの損害も発生しないから、発行会社の損害賠償責任も最初から問題にならない（鈴木・前掲論文一四八八頁）。名義書換後の株券にも除権判決の効力は及ぶとの立場に立つてもこの告知義務の点については学説は分れ、ある者は、会社にこの義務があるとする（高橋・前掲書二六二頁、鈴木・私法九号四四頁）。しかし、これらの説も、前掲判例が、株式会社は一般的にその発行株券のすべてについて公示催告がなされていないかどうか、官報の掲載に注意する義務があるとするのは、行きすぎとして、これを非難する。そして、会社としてはある株券について株券発行証明を発行している以上、「該株券について除権判決の申立があるかも知れないということは解つている筈だから、かかる株券について名義書換請求のあつた場合には、少くともこの事実を告げるべき法律上の義務」があるとする（高橋・前掲書二六二頁、鈴木・私法九号四四頁、大隅・全訂会社法論上二七五頁）。しかし、かかる告知義務を認めない立場も少くない（小川「株券の除権判決の効力」岩松記念論文集六二四頁、ジュリスト選書「株券」一八一頁以下）。なお、右の告知義務を認める立場も、立証責任に関しては会社が知つていたにもかかわらず告知しなかつたということの立証は、請求者側においてこれをなすべきであるとする（前掲各文献参照）。

なお、会社の告知義務を認めた前掲簡易裁判所の判決は、除権判決によつて喪失株券の善意取得者の株主権そのものが失われるとの立場に立つているため、損害賠償額としては、問題の株券の競落代金全額を認定している。これに対して、私は、かつて除権判決が出されても、善意取得者の権利は失われないとの立場に立てば右の損害は問題にならなくなる。したがつて、右のような意味での会社の告知義務の有無の議論は、除権判決によつては善意取得者をもふくめて、実質上の権利者の権利は一切害されないという立場に立てば、ほとんど意味がなくなる、とのべたことがある（「株券の除権判決」株式会社法講座二巻七九三頁）。ところが、これに対しては、「実質上の権利が否定されなくても、その所持する証券が無効となるならば損害が生じないわけではない」との批判を受けた（鈴木「除権判決」民事訴訟法講座五巻一四八九頁註(一)）。この点は、批判者のいわれるとおりであつて、私の考えの幼稚さを示す以外の何ものでもなかつた。それでは、除権判決によつては実質的権利は失わしめられないとした場合に、株券が無効になつたことから生じる損害としては、どのようなものが考えられるか。例えば、自己の所有の株券が無効になつたがために、これを発行会社に提出して新券の再発行を受けるに要した費用がまず考えられる。しかし、除権判決後新券の入手までに、株式の時価に値下りがあつたような場合に、株式を早く売却することによつて値下りによる損失を防ぎ得たのに、株券が無効になつた故に、これができず、その結果損害を被つたとして、その額の損害賠償を請求された場合に、これに応ずべきかどうか。株式のごとく、転売されうる性質のものにあつては、転売から生ずる利益あるいは転売によつて免れ得た損失は、これを賠償請求しうると考えてよいであろう。この点は、この告知義務違反を債務不履行的なものとみるか不法行為とみるかによつて差は生じないであろう（加藤・不法行為法一五五頁、谷口「損害賠償額の算定」本叢書民法(4)四頁以下参照）。

なお公示催告の申立の効力に関しては、終戦後の特殊法令との関係で問題になつたことがある。すなわち昭和二〇年一〇月一五日の大蔵省令第八八号（外国為替管理法第一条及昭和二十年勅令第五百七十八号、金、銀又ハ白金ノ地金又ハ合金ノ輸入ノ制限又ハ禁止等ニ関スル件ノ規定ニ依リ金、銀、有価証券等ノ輸出入等ニ関スル金融取引ノ取締ニ関スル件）により、在外財産については、大蔵大臣の許可を得なければ、「一切ノ財産ノ売買、取得、譲渡、支払、持出、処分（原状変更ヲ含ム）、輸出若ハ輸入、一切ノ財産ノ商取引又ハ一切ノ財産ニ関スル権利、権限若ハ特権ノ行使」をなすことができないことになつていた。そこで、公示催告の申立がこの取引に該当するかどうかが問題になり、相反する判例が出されたことがある。一つはこれに該当しないとし【39】、

【39】「同条（昭和二〇年大蔵省令第八八号第二条）に謂うところの「取引」には株券の滅失を理由とする公示催告の申立のごときは包含せられぬものと解するを相当とする。蓋し公示催告申立が同令第三条に謂うところの「一切の財産の処分（現状変更を含む）」に該当せざるは勿論同条に謂うところの「一切の財産に関する権利、権限若は特権の行使」とは権利自体の内容を実現する場合のみを指すものと解するを相当とするから、ここに権利等の行使にも該当しないからである。よつて之と反対の原審の見解は法律の解釈を誤つてゐる。従つてこの点に関する本件抗告は理由がある」（東京高判昭二二・九・二九裁時二・三、鈴木・判例研究一巻七五頁）。

他は、公示催告は除権判決を予想した一連のものとして考えるべきであり、したがつて、これに該当するとした【41】（この判例については除権判決の効力のところでふれる）。問題自体としては、もはや現代的意義をもつていないが、理論として考えれば、前掲昭和二二年の判決が正しいものと思う。なぜならば、公示催告は、もちろん除権判決を予想しているとはいえ、現行の手続のもとでは、公示催告期間が経過すれば当然に除権判決がなされるのではなく、新たに除権判決の申立がなされ、これに基く裁判の結果として除権判決が発せられるのである。そして公示催告そのものは、株券の効力になんらの影響も与えないこと前述のとおりである以上、これについて大蔵大臣の許可を要求する必要なく、除権判決の申立についてのみこれを必要とすれば足ると考える。

(5)　除権判決の効力　除権判決の効力としては、通常、消極的効力と積極的効力ということがいわれる。前者は、除権判決によつて証券が無効となることを意味し、後者は、申立人が証書により義務を負担する者に対し、証書によれる権利を主張することを得るようになる効力を指す。次の最高裁判例はこの点を判示したものである【40】。

【40】「喪失株券に関する除権判決の効果は、右判決以後当該株券を無効とし、申立人に株券を所持すると同一の地位を回復させるに止まるものであつて、公示催告申立の時に遡つて右株券を無効とするものではなく、また申立人が実質上株主たることを確定するものでもない。されば公示催告期間中会社に対し当該株券を提示して株主名簿並に株券の名義書換を請求する第三者があつた場合、右第三者が実質上の権利者であることもありうべきであるから、会社は単に当該株券につき喪失を理由とする公示催告の申立があるという一事を以て書換を拒むことを得ないのは蓋し当然であつて、これと異る見解に立つ所論はとり難いのみならず、右書換の後除権判決のあつた場合、所定期間内に権利の届出及び株券の提出をしなかつた前記第三者が除権判決の効果としてその実質的権利(たとえば公示催告期間中における善意取得にもとずく権利)を失うに至る場合があるかどうか、また会社は株主名簿の最終名義人が右第三者のままになつている場合、これを株主として一切を処理して免責されるかどうか等の点については必ずしも議論の余地なしとしないが、少くとも除権判決を得た者の会社に対する関係は、株券喪失前におけるそれ以上に出るものでないことは前記除権判決の効果から考えて疑を容れないところである。されば原審が、仮に上告人(原告、控訴人)(A)において訴外錦織(B)名義の株式を譲受けたとしても、本件割当基準日までに株主名簿の名義書換を請求しなかつた以上、割当基準日において自己が株主であつたことをもつて被上告会社(甲会社)(被告・被控訴人)に対抗しえないものと判断し、上告人の本訴請求をしりぞけたのは、被上告会社が所論新株を訴外日興(乙)証券株式会社に割当てたことの当否の如何にかかわらず、正当であるといわなければならない。本件株券が上告人主張の如く盗取されたものとす

れば、それ以後本件除権判決あるまでの間、上告人は株主名簿の名義書換手続を履践しようとしても為し得ない関係にあるべきことは勿論であるが、その故を以ては上記の解釈を左右するに足りない」（最判昭二九・二・一九民集八・五二三、大隅・法学論叢六〇巻四号、大森・民商法雑誌三一巻一号）。

しかし、事案そのものは、必ずしも除権判決の効力を決定しなければ、解決できないような性質のものではなかつた。次にその概略をのべることにする。理解の便宜のために、日附順に表にしてみよう。

23・11・15　Aは甲会社の株式一〇〇株を乙証券会社を通じ買受け、B名義の株券をその白紙委任状とともに取得。
〃・11・27　右株券を盗取され、その旨甲会社へ通知。
24・3・15　Aによる公示催告申立。
〃・10・1　官報掲載。
25・2・10　乙証券会社が問題の株券を呈示して名義書換請求し、甲会社はこれに応じた。
〃・2・20　乙会社は企業再建整備法にもとづく決定整備計画により、第二会社を設立して解散するための前提として、この日現在の株主に対し、第二会社の株式を割当てることになつていたから、この日現在の名簿上の株主たる乙証券会社に割当てた。
〃・5・4　除権判決。
〃・5・10　Aに対し喪失株券の再発行。

右のようにして、Aは、第二会社の株式の割当を受けることができなかつたため、甲会社に対し、第二会社の株式を所定の比率にしたがつて割当て、株金の払込と引換に、右株式数に相当する株券を発行して引渡せ、もしこれができなければ、これに代る損害の賠償を求めたのが本件である。その理由とするところは、要するに、甲会社としては公示催告の事実を知つている以上は、割当日に名簿上に他の者が記載されていても、この者に直ちに割当をなすべきでなく、公示催告の結果が判明するまで待ち、除権判決があつてAが会社から株券の再発行を受けた以上は、Aに割当てるべきであるというにある。

第一審、第二審ともに、甲の請求を棄却したが、その理由は、(1) 記名株式譲受人は、会社が譲受人の名義書換請求を不当に拒否した場合のほかは、名義書換を経なければ会社に対抗できない、(2) 会社が盗難および公示催告の事実を知つていても右のことに変りなく、会社は割当日時の名簿上の株主に割当ることができる、(3) 除権判決の効力は、判決の時より将来に向つて生ずるにすぎず、公示催告の申立の時に遡り、かつ株券の帰属に関する実体法上の権利関係を確定するものではないから、たとえAが除権判決を得てこれによつて甲会社から新株券の発行を受けても、Aは喪失株券につき除権判決の時をもつてその地位を回復したにすぎず、その後対抗要件としての名義書換手続を履践して後はじめて、その時以後、株主であることを主張しうるに止まるというにあつた。

これに対する上告理由の要点は、公示催告の事実を知つている会社は当該株券による名義書換請求はこれを拒否すべきであるから、本件において乙証券会社のためになした名義書換は不当である。しかも当該株券が無効を宣言され、Aに新株券が再発行されている以上、右株式に対する第二会社の株式はAに割当てるべきであるというにある。

これに対する、前掲の最高裁判決理由を分析してみると、⑴除権判決は喪失株券を無効にし、⑵申立人に株券を所持すると同一の地位を回復せしめ、⑶これらの効力は、判決以後生ずる、⑷会社は単に当該株券につき喪失を理由とする公示催告の申立があるとの一事をもつて名義書換を拒み得ないということになる（五五頁参照）。そして、⑸除権判決があつた場合、喪失後判決までの間に善意取得した第三者の権利が失われるかどうか、⑹会社は株主名簿の最終名義人が右第三者のままになつている場合、これを株主として取扱つて免責されるかどうかの点については、問題のみを指摘するに止めている。そして結論的に⑺除権判決を得た者は株券喪失前に有していたより以上の地位には立たないとする。

本判決の中にいわれている右の各理論はすべて正当であると思われる。ただ本判決の批判として、当面の事案を解決するためには、除権判決の効果を云々せずとも、公示催告があつても会社は当該株券による名義書換請求を拒み得ない、という理論でほぼ足りたのではないかということがいわれている（大森＝大隅前掲判批）。正当な批判であろうと思う。後は、もつぱら株主名簿の名義書換の効力に関する理論によつて解決されるべきことである。もつとも、除権判決の効力は遡及しないとの理論も必要であるが、公示催告があつても、会社はそれだけでは名義書換の請求を拒み得ないとの理論は、不遡及の理論を当然に前提としているというべきであろう。

ところで、除権判決の効力のうちでもつとも問題になるのは、喪失株券の善意取得者の権利が、除権判決によつて失わしめられるかどうかということであるが、右の最高裁判例は、この点を問題として指摘するのみで、結論を示していない。しかし、下級審中にはこの点について判示したものがある。一つは、終戦直後の昭和二〇年の大蔵省令第八八号によつて、在外財産に関する取引は、大蔵大臣の許可がなければ、これを行い得なかつた当時、台湾に本店を有する台湾製糖株式会社の発行せる株券についての公示催告の申立が各省令にいう取引に該当するかどうかが争われた事件である（五九頁参照）。判例は公示催告の申立が当然予想している除権判決の効力についての次のような考え方から、結局、公示催告の申立に許されないものとした【41】。

【41】「本件公示催告の申立が昭和二十年大蔵省令第八十八号により大蔵大臣の許可を要する行為であるかどうかを按ずるに台湾は昭和廿年勅令第五七八号金、銀又は白金の地金又は合金の輸入の制限又は禁止に関する件の第五条により、同令及び外国為替管理法の適用については、外国とせられる地域である。然るに本件株券が台湾に本店を有する台湾製糖株式会社により発行されたものであることは、該決定に於て確定されたところであるから本件株券は前記大蔵省第四条第四号に当る在外財産であり、又従つて同令第二条第一号に該当するから、同条により大蔵大臣の許可を得るのでなければ、これに関する取引を為すことが出来ない。ところで同令第三条に「本令に於て取引とは一切の財産の売買取得、譲渡、支払、持出、処分（原状変更を含む）、輸出若は輸入一切の財産の商取引又は一切の財産に関する権利、権限若は特権の行使を謂う」と定めているが、公示催告それ自体は右に云う処分（原状変更を含む）とは云えないし、又右に云う権利の行使でもなくその他右条文の規定するいずれにも該当しないと解するのが相当である。しかし公示催告は除権判決を予想して為されるものであつてこれと結びつけて一連のものと考えるのでなければ全く意味がない。それ故公示催告それ自体は前記のように取引に該当していなくとも、これに続く除権判決が取引に該当するときには、右行為につき大蔵大臣の許可がなければ、公示催告の申立を許可すべきではないと解するのも相当とする。よつて更に審究するに、除権判決は当該株券の正当な取得者があつたとしても、公示催告期間内に届出を為さないときは、当該株券の無効

を宣言し、これについての権利を失わせるものであるから、除権判決によつて株券に関する権利者に変更を来す可能性がある。然らば除権判決をすることは前記条文に言う処分（原状変更を含む）に該当するものと解さなければならぬ。果して叙上のようだとすれば、株券に関する公示催告を為すには爾後の公示催告手続を進めることにつき大蔵大臣の許可を得ている必要があるから本件公示催告の申立について大蔵大臣の許可が必要であると解した原審の見解は正当であつて、抗告人の論旨はこれを採用することができない」（東京高決昭二四・二・一七裁時三〇・四）。

右の判例は、除権判決そのものによつて、実質的権利関係に変動が生ずることを認めているものと思われる。しかし、この点に関する法律関係そのものが問題になつた事案ではないだけに、そう重きをおくことのできない判例である。なお、たとえ除権判決の効力について、右判例のように解するとしても、その事案に対するこの判例の結論には必ずしも賛成できないことについては前述した（六〇頁参照）。また前掲の【37】も同じ立場を前提にしていると思われる。これに対し喪失株券の善意取得者の権利が除権判決によつて失わしめられるか否かの点そのものについて、その後、これを失わしめない趣旨の下級審判決が出された【42】。まず、事案の概況を日附順に整理してみよう。

27・12・25　被告丙証券会社は乙会社の株式二〇〇株（B名義）を買受けた。
28・3・12　丙証券会社は右株券を紛失、乙会社ならびに取引所に届出、会社より株券発行証明書受領。
〃・3・17　原告Aは訴外甲証券会社を通じてB名義の白地裏書ある右株券を取得。
〃　〃　31　Aに名義書換。
〃　4・18　丙証券会社は右株券につき喪失を理由に公示催告申立。
〃　5・25　公示催告官報掲載。
〃　12・16　除権判決。

その後乙会社はB名義の株券を再発行し丙証券会社に名義書換の上同会社に交付。

29・7・31　乙会社は新株を発行し、この日を基準日として、名簿上の株主たる丙証券会社に対し一対一で割当。

30・7・1　乙会社は被告丁会社に吸収合併され、乙会社の株式一株に対し、丁会社の新株式一株を割当て、丙証券会社に丁会社より丙名義の株券交付。

以上のように、原告Aはその取得株券につき、発行会社によつて正当に名義書換を受けておりながら、喪失者たる丙証券会社によるその後の公示催告申立ならびに除権判決の結果、乙会社の増資新株二〇〇株の引受をなすことができず、また、吸収会社たる丁会社から二〇〇株の株券の交付をも受けることができなくなつた。そこで、Aは被告丙証券会社に対しては、その丁会社より交付を受けた株券の引渡を請求し、丁会社に対しては、新株引受権を喪失せしめられたことによる賠償を請求した。そして、その理由として、(1)　Aが乙会社の株券につき善意無過失で取得した権利は除権判決によつて消長を来すものでないから、これに対して割当てられた丁会社の新株式二〇〇株についても、Aは当然株主権を取得する。(2)　乙会社は昭和二七年七月三一日に新株を発行したが、新株引受権を有していた原告に対し、何らの通知催告もしなかつたために原告は引受権を喪つた。故に、これによつて生じた損害二一、四〇〇円の賠償を吸収会社たる丁会社に対し求めるというにある。これに対し被告側は、かりに原告がその主張の如く、除権判決前に本件株券につき善意取得をしていたとしても、除権判決後はその権利を失い、除権判決を得た丙証券会社がその株主権を回復するのであるから、原告が株主であることを前提とする本訴請求はすべて失当と主張した。これに対する判決理由は次のとおりである。

【42】「被告等（第一物産（丁）株式会社外一名）は、除権判決は、申立人（被告加賀（丙）証券株式会社）

に対し当該株券による株主権を与え若しくはその株主権を確認する実体法上の効力を有するものである。或いは一般的には申立人に実体的権利を与えるものとはいえないとしても、株券喪失後、第三者による善意取得によつて失われた申立人の権利についてのみは、除権判決によつてこれを善意取得者から奪い、申立人に再び与える効力を有するものであるから、そのいずれによるにせよ、原告は右除権判決のあつた時以降、日本機械貿易株式会社（単に日機貿と略称）（乙会社）の株式二〇〇株の株主権を失つてしまつたという。しかし喪失株券に関する除権判決の実体法上の効力は、右判決以降当該株券を無効とし、申立人に株券を所持すると同一の地位を回復させるに止まるものであつて、株券喪失乃至は公示催告申立の時に遡つて右株券を無効とするものではなく、また申立人に対し、当該株券による株主権を形成し、若しくはその株主権を確定するものでもない（昭和二九年二月一九日最高裁判所昭和二六年(オ)第四二四号事件判決参照）。当該株券は除権判決がなされるまではいぜん有効であるから、第三者が当該株券による株主権を善意取得し得ることはもとより可能であるし、また、除権判決の効力は申立人に当該株券の占有に代る形式的資格を回復せしめるに止まるものであるから、当該株券による株主権の得喪変更について、除権判決は実体上何等の影響を及ぼすものではない。しかして、このことは株主権変動の原因が承継取得によると善意取得によるとによつて異なるものでないと解すべきである。即ち被告等が主張しているが如く、当該株券喪失後その株主権を善意取得した第三者に限つて、除権判決の効力として、第三者からその権利を奪い、申立人に再び与えると解すべき理由もなければ必要もない。けだし喪失株券の善意取得に限つて、公示催告期間内に権利の届出をしなかつた場合に除権判決によりその権利を奪われるところの、一種の制限的な権利取得であると解することは、法律上充分の根拠もないし、除権判決制度とは、やはり申立人に喪失当時の形式的資格を回復せしめるに止まるものであり、株券の流通性の保障のためには、申立人に多少の忍従を強いることもまた止むを得ないと考えるからである。果して然らば、原告前田(A)が、一旦善意取得した日機貿の株式二〇〇株の株主権は、右除権判決がなされたからといつて、何等の消長を来たすものではなく、また、被告が主張する如く、原告がたとえ右公示催告期間内にその権利の届出をしなかつたからといつて、それがためにその権利を喪失するものでもない。原告はいぜんとして、右日機貿の株式二〇〇株の株主権を有しているというべきである。

次に前記の如く被告加賀証券は、右除権判決に基き、日機貿から株主名義を被告加賀証券と書換えた新株券の交付を受けたが、原告は右除権判決がなされる以前すでに日機貿の右株式二〇〇株について原告名義に書換手続を了しているので、日機貿としては被告加賀証券の右新株券の請求を拒否すべきものであつた。日機貿が株主名簿上の最終名義人でない被告加賀証券に右新株券を交付したことは、除権判決の効力に関する何等かの誤解によるものであろう。しかし、とまれ原告が日機貿の右旧株券の株主であつたと認められる以上、被告加賀証券は日機貿から交付を受けた右新株券を当然原告に引渡すべき義務を有していたのである。被告加賀証券は日機貿と第一物産の合併後、被告第一物産から加賀証券名義の株券二〇〇株の交付を受けている。しかし原告が右株券による株式の株主権を有していると認められる以上、右と全く同一に、被告加賀証券は右株券をもまた当然原告に引渡すべき義務があること明かである（この場合、原告は被告加賀証券から引渡を受けた右株券を、被告第一物産に提出して、それと引換えに自己名義の株券の再交付、または、名義の訂正を会社に請求することになる）。

更に日機貿が有償倍額増資を行い昭和九年七月三一日正午現在の株主に新株式を割当てたことは当事者間に争いのない事実であり、原告が同日時（以下単に基準日と略称する）における日機貿の二〇〇株の株主であつたことは前記認定の通りであるから、原告は基準日以降日機貿の新株二〇〇株の新株引受権を有するに至つたことは明かである。尤も基準日当時、日機貿の株主名簿上、右株式二〇〇株の株主名義が被告加賀証券名義に書換えられてしまつていたことは前記認定の事実に徴して明かであるが、この点については前にも言及したごとく、右株式二〇〇株の株株主義が右除権判決前すでに原告名義に書換えられていた以上、被告加賀証券が右除権判決に基いて自己名義に名義書換の上新株券の交付を請求してきても日機貿はこれに応ずべきではなかつたのである。その際日機貿としては被告加賀証券が無権利者であると考えるに相当な理由があつたというべきであり、且つ、原告にその名義書換に異議がないかどうかを確めること等によつて真実の株主が何人なるかを容易に確知し得る状態にあつたのであるから、何等かの誤解によつて日機貿が右株式二〇〇株の株主名簿を被告加賀に書換えても、かかる株主名簿の記載を信じてなした行為はそれによつて免責されることはないと解すべきである。従つて日機貿は、基準日当時の株主名簿上の株主たる被告加賀証券をではなく、基準日において実質上の株主権を有していた原告を右新株式の引受権者として取扱うべきであつたのである。ところで新株発行に際しては、取締役は株式申込証（用紙）を作つて新株引受権者に交付し、且つ、新株発行に関する所定事項を通知し、もつて新株引受権者をしてその権利を行使するに支障なからしむべき法律上の債務を負担しているものであつて（商法二八〇条の五の一項及び二八〇条の六）、日機貿は原告に対して右の債務を履行すべき義務あるところ、日機貿がこれを履行しなかつたため、原告は所定期間に右新株二〇〇株を引受けることができず、結局右新株引受権を喪失する結果となつたことは見易い道理である。しかして日機貿は被告第一物産に吸収合併せられたので、日機貿の権利義務一切を包括承継した被告第一物産は、原告に対して右新株引受権喪失による損害金を支払うべき義務あること明かである」（東京地判昭三一・七・二一下級民集七・一八一四、三戸岡・判例評論七号、同・財政経済弘報五九二号、上野襄治、東京株式懇話会報六一号、霜島・ジュリスト一八五号）。

右判決理由を整理してみると次の如くになる。(1) 株券は除権判決がなされるまではいぜん有効であるから、第三者が当該株券につき善意取得しうることはもとより可能である。(2) 右のようにして善意取得された第三者の権利は、除権判決によつても影響を受けない。故に、被告丙証券会社は、その乙会社より再発行を受けた株券をAに引渡す義務があり、したがつてまた、合併後丁会社より交付を受けた株券をAに引渡す義務がある。さらに、(3) 乙会社は、喪失株券につきAに名義書換をした以上は、丙証券会社が除権判決に基いて名義書換請求ならびに新株券の交付を請求してきても、これに応ずべきでない。(4) もし書換えた場合には、かかる株主名簿上の記載に基づいてなされた行為は会社をして免責せしめない。したがつて、乙会社は、その新株発行に当り基準日当時の名簿上の株主たる丙証券会社を株主として取扱つても免責されず、当然、Aの引受権喪失による損害に対し賠償義務がある、と。

右の各判決要旨のうち、もつとも中心的なものは、株券の除権判決によつて喪失後、除権判決までの間に、喪失株券につき善意取得した者の権利が影響を受けないという点である。この点は、この判決のなされる前からもつとも争われていたところであつて、私自身も右判例と同じ立場に立つて、すでに詳細に論じたことがある（「株券の除権判決」株式会社法講座二巻八〇二頁以下）。したがつて、ここで再びくり返すことはしないが、その後、この判例（したがつてこれと同じ立場に立つわれわれに対して）に対してなされた批判の二、三について考えておこうと思う。

まず第一は、判決の結論には賛成しながらも、その理由には承服しがたいとするものである。すなわち、公示催告中に名義書換が行われてしまえば、除権判決をえてもすでに名義を書換えられた証券は無効とならず、したがつて申立人は除権判決をえてもなんにもならないとの理論（鈴木・前掲論文一四九二―三頁）に立つて、本件においては、四月一八日にB名義の株券について丙証券会社が公示催告の申立をしたときは、当該株券はすでにA名義に書換られていたのであるから、公示催告は無効な証書についてなされていたのであつて、申立人は除権判決を得ても、無効な株券を所持する地位を回復するだけで、何の権利も生ずるはずのものでなかつたとすべきである、と（三戸岡「記名株券の除権判決」財政経済弘報五九二号）。

株券の除権判決の効力が、その株券の名義が書換えられた後にも生ずるかどうかの点については、昭和二九年二月一九日の最高裁判例【40】も、前掲の昭和三一年七月一一日の東京地裁の判決【42】も、これを肯定する立場を当然に前提としているものと解さざるを得ない。また、この点について、旧法下における名義書換に関するものであるが、明示的に判示したものとして、前掲の昭和二六年一二月一九日の東京簡裁判決がある【43】。

【43】「株券の公示催告手続は会社の発行した特定の株券の無効宣言を求めるもので其特定の株券を表示するために其株券の重要な旨趣即ちどの株券であるかを特定するに足る事項を記載するのであつて最終株式名義人の誰であるかは固り株券を特定する上に重要な事項の一つであることは勿論であるが公示催告当時同催告に列挙した記載のある株券である以上其後に最終名義に変更があつても除権判決に指示した株券の無効宣言は其名義変更を受けた者に効力を及ぼすものといふべきである。其ためにこそ公示催告に記載した事項の記載ある株券の所持人に権利届出の機会を与へて居るのである。当裁判所が訴外井上富蔵の申立による昭和二十五年三月十四日受附(ヘ)第二九五号公示催告事件に付て

一、豊年製油株式会社（甲会社）株式百株券二枚
一、株券額面金五千円
一、一株の払込金額金五十円
一、記番号　自丁は第一三九六四号
　　　　　　至丁は第一三九六五号
一、発行者　豊年製油株式会社
一、発行年月日　昭和二十四年五月十日
一、最終株主　井上富蔵

なる株券に付昭和二十五年十一月二十五日迄に所持人に権利の届出を求める公示催告をなしたけれども何人からも其届出がないので昭和二十五年十一月二十七日除権判決により右株券の無効を宣言したことは当裁判所に顕著なところである。原告は右株券の最終名義人は井上富蔵を経て昭和二十五年九月二日原告となつたのであるから除権判決の対象となつた井上富蔵名義の株券は原告名義の株券とは別個のものであるといふのであるが

原告名義の株券は公示催告に前示記載のある株券であることは明瞭であるから除権判決により表示せられた公示催告に記載の株券が無効と宣言せられた以上原告名義に変更せられた右株券に無効の影響あることは必然といふべきである。然らば右判決によつて原告の株主権喪失を被告が通告したことは当然であるから株主権存在の確認を求める原告の請求は理由なしと認める」（東京簡判昭二六・一二・一九【37】【38】参照）。

名義書換後の株券には除権判決の効力は及ばないとの立場は、次のような論理の上に立つている。(1) 代り株券（株券の分割併合、汚損等によつて発行された新券）には除権判決の効果は及ばない。(2) 現行商法はアメリカの慣行にならつて名義書換の度毎に、旧券を回収して新券を発行することを予想しているものと解されるから、旧株券を利用しても、新たな名義人の氏名を株券に記載して会社がこれを認証すれば、それは物理的には旧券であるが、法律的には新券、すなわち代り株券である。(3) 記名株券の同一性の識別については、名義人如何が重要な要素であるから、その名義人が変更したならば、それは異る証券とみるのが当然である。要するに、名義書換後の株券は、公示催告の対象となつている証券とは別異の証券とみられるから、これには除権判決の効力は及ばない、と。

しかし、右の理由については疑問がないではない。まず、第一前提たる代り株券には除権判決の効力は及ばないということは一般に認められているが（高橋・前掲書二七二頁、ジュリスト選書株券二一〇頁以下）、この命題の根拠の一つは、通常、代り株券と旧株券との間に同一性の認識が不可能であるということである。このような事実問題であるとすれば、たとえ代り株券でも、旧株券との間に客観的に同一性が認識できる場合には、これに除権判決の効力は及ぶとみてさしつかえないことになろう。そうすると名義書換のなされた株券は、たとえ法律上は新券であると解するとしても、事実上の同一性の認識可能性は、記名式裏書のなされた手形と全く同じく、これを認め得るから、後者について除権判決の効力の及ぶことを認める以上（反対説もこのことを否定しはしないと思う）、前者についても同様に考えるべきであろう。また、代り株券に除権判決の効力が及ばないことの根拠を、除権判決は特定の株式を表彰する特定の株券を無効にするのであるとの理由に立つならば（高橋・前掲書二七二頁、河本・前掲論文八一二頁註八）、ますますもつて、名義書換後の株券に除権判決の効力は及ぶといわねばならない。さらに現行法上、新たな名義人の氏名を株券に記載して会社がこれを認証すれば、法律的には新券になるということも、法律の明文上充分な根拠があるとは思えない（取締役の証印のみで新券の発行とみることも問題であろう）。なにも、法律的に新券になるといわずとも、株券としては事実上も法律上も同一であつて、ただ株券上の名義人を変更訂正したにすぎない。しかも、その訂正を株券の表面で直接的に行わずに、裏面で間接的に行つているとみることによつても説明はつく。以上のような考察から、結局において、私は、この点では判例の立場に賛成したい。もつとも、このように解すると、たまたま現実に代り株券の交付を受けた者との間に、利益の不均衡を生じはしないかとの反対説は充分に考えられるが、これも、現在の除権判決制度そのものに含まれている制度的欠陥の一つの表れとして、仕方がないというほかはない（高橋・前掲書二七三頁）。

次に、善意取得者の権利は除権判決によつては失わしめられないとの立場に対して、手形法一六条二項（小二一）を援用しての批判がある。すなわち、民法一九二条が即時の権利取得そのものを規定しているに対し、手形法一六条二項の規定の形式は、善意取得は本来の権利者に対し証券の返還を要しない旨を規定し、その結果として権利を取得したこととなるという特殊の構成をとつている。そして、除権判決によりあたかも現在の所持人から証券の所持を回復したのと同様の効果が認められる以上、それによつて善意取得者は証券を返還したのと同様となり、その結果権利の取得も否定されると考えることができる、とする（鈴木・前掲論文一四九六頁）。しかし、手形法一六条二項の規定形式は、善意取得制度成立の沿革上の名残りをとどめているだけであつて、その趣旨は、民法一九二条が形式上もこれを表現しているように、権利の外観に信頼して取引行為をした者にその権利を取得せしめるということであるから、両条の規定の形式上の差をもつて除権判決の効力決定のきめ手にすることはできない（この点については大阪株懇記録九九号一二〇頁以下に詳論したところを参照）。

最後に、前掲地裁の判決に対しては、次のような批判もなされている。すなわち、本判決は乙会社が、除権判決に基いて丙証券会社に名義書換の上、この者に新株券を発行したことを不当とする理由として、その際乙会社としては、丙証券会社が無権利者であると考えるに相当な理由があつたというべきであり、かつ原告にその名義書換に異議がないかどうかを確めること等によつて、真実の株主が何人であるかを容易に確知し得る状態にあつたのであるから、とのべている。この点をついて、本件株券がA名義に書換えられたことによつて、除権判決をえても、丙証券会社は無権利者と考えられる相当な理由があるということで結論を出せば充分なことであつて、さらに原告に確める云々の理由は、不用であるのみならず、実行不可能であることをいつているのであり、ひいては、判決の議論そのものを分らないものにする、との批判がなされている（三戸岡・前掲論文）。私自身も、判決と同じようなことをすでに書いていたので（前掲論文八〇七頁）、ここで右の批判に答えて、弁明しておこうと思う。

除権判決を得た者は、裏書の連続ある株券をもつているのと同じ状態におかれる。すなわち形式的資格（レギチマチオン）を回復する。そして、形式的資格をととのえて権利行使をしてくる者があつた場合、債務者としては、相手方の無権利を立証するに容易にして確実な証拠をもつていない限り、相手方を権利者として取扱つて免責される（手形四〇Ⅲ、株券にも類推適用される）。本件の場合についていえば、会社としては、Ａに名義を書換えたという事実を把握しているだけで、除権判決取得者たる丙証券会社の無権利を立証するに容易にして確実な証拠方法をもつているといえるだろうか。あるいは、これだけで批判者のいわれるように、丙証券会社を「無権利と考える相当の理由」をもつているとはいえるかも知れないが、確実な証拠方法をにぎつているとはとてもいえないであろうと思う。それならば会社は除権判決取得者の資格を信頼して、この者に名義を書換え、この者に新券を発行しても免責されるかというと、そうではない。なるほど会社は、Ａに対する名義書換の事実だけでは、Ａの善意取得したがつて丙証券会社の無権利を立証する確実な手段を有しているとはいえないが、Ａに連絡することによつて、右の証拠手段を入手し得るかもしれない状態にあるといえるから、それにもかかわらず、会社が無造作に丙証券会社の請求に応じては真の権利者に対して免責されない、というべきではないか。以上が、本判例が、「原告Ａに確め云々」といつていることの理由であろう。もつとも批判者のいわれるように、原名義人に連絡しても返事がないこともあろうし、あるいは他に譲渡してしまつたとの返事がくることもあろう。しかしまた、現名義人が裏書の連続のある株券をもつて、あるいは株券にさらにその他の資料をそえて、充分に協力することもあるだろう。このことを考えると、会社として現名義人に何の連絡もせずに、簡単に、除権判決取得者を権利者として取扱つた場合には、後から重過失（僅かな注意義務を果せば確実な証拠方法を入手し得たであろう場合に、その注意義務を果さなかつたこと）による責任を問われても仕方がないであろうと思う。

(6)　株券の再発行　除権判決を得た者は、会社に対し、株券の再発行を請求することができる（商二三〇Ⅱ）。これに関連しては、再発行されるべき株券の名義を如何にすべきか等、実際上重要な問題が多い。しかし、これらの点に直接にふれた判例はないので、ここで考察するには不適当である。ただ、株券の再発行に関係ある判例を二、三とりあげておこうと思う。

旧法下において、株券を質物として占有している者が、火災によつてその株券を滅失せしめた場合に債務者たる株主は、会社より新株券の発行を受け、それを債権者に交付すべき義務があるが、その義務の履行につき民訴七三四条の間接強制を課することはできない、とした判例がある【44】。

【44】「民事訴訟法第七百三十四条ハ債務ノ履行カ債務者ノ意思ノミニ係ル場合ニ限リ適用セラルルモノニシテ債務者ニ履行ノ意思ヲ生スルモ他ノ事情ノ為メニ之ヲ履行シ得サルカ如キ場合ニハ其ノ適用ナキモノトス本件ニ於ケル第二審判決ニ依レハ抗告人ハ訴外会社ヨリ杉本清名義ノ白紙委任状及ヒ株式処分承諾書ヲ添付セル本訴株式ニ関スル株券ヲ質物トシテ受取リ占有中関東大震災ニ逢ヒ之ヲ焼失シタルニ因リ右杉本ノ遺産相続人タル本件ノ債務者ハ更ニ会社ニ請求シ新株券ノ発行ヲ受ケ之ヲ債権者タル抗告人ニ交付スヘキ義務アリト判定セルモノナレハ会社ニ於テ新株券ヲ発行セサル限リ債務者等ハ其ノ債務ヲ履行スルコトヲ得サルモノト謂ハサルヘカラス而シテ前記第二審判決ニハ縦令債務者等主張スルカ如ク右会社カ株主ニ非サル訴外人ノ請求ニ因リ新株券ヲ発行シタリトスルモ其ノ株券ノ発行ハ無効ナルカ故ニ真正ノ株主タル債務者等カ請求ヲナストキハ会社ハ更ニ新株券ヲ発行スヘキ義務ヲ有スル旨説示シアルモ会社ニ右ノ如キ義務存スレハトテ容易ニ二重ノ株

券発行ヲ肯ンスヘキヤ否不明ニシテ速断ヲ許ササルカ故ニ本件債務ノ履行ハ債務者ノ意思ノミニ係ルモノト謂フヲ得ス」（大決昭五・一一・五評論一九民訴六一五、同旨、東京控決昭五・七・一九新聞三一六八・一六）。

現行法のもとにおいて、同様の場合について考えてみると、まず、株式に対する質権者がその占有する株券を喪失した場合に、その株券について公示催告申立権を有しているのは誰かということが問題になる。この点については争があり、登録質権者はもちろん略式質権者も申立権を有するが、質権設定者はこれを有しないとする説（河本「株券の除権判決」株式会社法講座二巻七八一頁）と、質権者には全然申立権を認めず、質権設定者たる株主にのみこれを認める説とがある（鈴木・前掲論文一四八一頁）。前説の立場に立つ限り申立権を有しない債務者に対し、公示催告を申立てろと請求することは無理なことといわねばならない。したがつて、この点についての間接強制は問題になる余地がない。質権者は自らの名において公示催告手続を遂行して除権判決を入手するほかない。もつとも、質権者が除権判決を入手しても、自己の名において会社より株券の発行を受けることはできない。しかし、質権設定者たる株主は彼自らが得た除権判決によつてではなくとも、他人すなわち質権者が入手した除権判決によつてではあつても、とにかく、自己所有の株券が無効となつたのであるから、その結果、商法二三〇条によつて、当然に株券の再発行請求権を取得する。そして、物上代位の原則によつて、この請求権の上に、質権の効力が及ぶと考えるべきであろう。もつとも、旧法下の下級審判例中には、焼失により再発行される株券は、代位物でないとするものもある【45】。

【45】「被告ハ右ノ如ク株券カ焼失シタル場合ノ如キニ於テハ原告カ質権ノ効力ヲ保存セントセハ民法第三

百五十条第三百四条ニヨリ新株券ノ再交付前之カ差押ヲ為ササルヘカラスト主張スレトモ民法第三百四条ニヨリ本来ノ目的物ニ代位スヘキモノハ（一）目的物ノ売却代金（二）借賃（三）目的物ノ滅失毀損ヨリ生スル賠償（四）物件ノ対価ノ四種ニ限定セラレ其ノ他ノモノヲ包含セス而シテ株券ノ焼失ハ株式ノ消滅ヲ来スモノニ非ス株主ハ右ノ場合ハ株主権ノ効力トシテ新株券ノ発行ヲ会社ニ請求シ得ヘキモノナレハ右孰レノ場合ニモ該当セサルコト多言ヲ要セスシテ明カナリ」（東京地判昭二・一〇・二七新聞二七七九・一一）。

なるほど、この場合には質権の対象は株主権という権利であつて、株券が滅失しても株主権は滅失したわけではないから、本来の目的物に代位すべきものとはいえないかも知れないが、株式の質入の場合には株主権のみならず、これを表彰している株券も質入の目的物とみてよいのではないかと思う。なお質入（譲渡担保）された株券の喪失の場合には非常に多くの困難な問題が伏在しているが、ここではすべて割愛せざるを得ない。

(7)　除権判決に対する不服申立　除権判決に対しては、上訴をなすことができず（民訴七七四I）、ただ特定の場合においてのみ、申立人に対する訴を以て公示催告裁判所の所在地を管轄する地方裁判所に不服を申立てることができる（民訴七七四II）。ところで、不服を申立てることのできる場合の一つに「法律ニ於テ公示催告手続ヲ許ス場合ニ非サルトキ」であるにもかかわらず、除権判決をなした場合がある（民訴七七四II第一）。ここにいわゆる「法律ニ於テ公示催告手続ヲ許ス場合ニ非サルトキ」の意義について、最高裁は次のような判断を下している【46】。

【46】「原判決が引用する第一審判決は、民訴七七四条二項一号にいわゆる「法律ニ於テ公示催告ヲ許ス場合ニ非サルトキ」とは、現にとられた公示催告手続について抽象的一般的にこれを認める法律上の根拠を全然

欠く場合をいうのであつて、苟くも抽象的一般的に公示催告を許す旨の法律の規定のあるかぎり、具体的個別的の公示催告手続内でなされた事実認定が不当である場合の如きはこれに包含されないと解すべき旨を判示しており、右の判示は相当と認められるから、これと反対の見解を前提とする所論は、理由がない」（最判昭三二・一一・二二民集一一・三二九中野・民商法雑誌三六巻二号）。

この事案では、Y（被告人、被控訴人、被上告人）は、その所有の株券を盗取されたとして公示催告の申立をなし、除権判決を入手した。しかし、実は、Yはこの株券を盗取されたのではなく、訴外乙に任意に交付したのであり、しかも、YはX（原告、控訴人、上告人）がその株券を占有していることを知つて、Xに対し株券返還請求の訴を提起し、現にその訴訟が係属中であるにもかかわらず、公示催告の申立をした。そこで、XはYを相手方として不服を申立て、右除権判決の前提である公示催告手続は法律において許す場合でないにもかかわらず、なされたものであるとの理由で、その取消を求めた。

前掲判例の論旨はもちろん正当であつて、学説上も異論はない（中野・前掲判批）。要するに公示催告手続においてなされた公示催告裁判官の事実認定の誤りは、不服の訴の原因にはならず、公示催告の法律上の前提の存否の判断における法律上の間違いのみが、右の訴の原因である。したがつて、例えば、公示催告裁判官が、当該株券が横領されたことを認定しながらも、公示催告手続を進め、除権判決を下したときは、不服の訴の原因となる。

次に、民訴七七四条二項第二の「公示催告ニ付テノ公告ヲ為サス又ハ法律ニ定メタル方法ヲ以テ公告ヲ為ササルトキ」の意味について、管轄権のない裁判所が公告したときは、これに該当しないとの下級審判例がある【47】が、正当である。

【47】「本件除権判決の前提である公告は、管轄権のない裁判所によつてなされたものと云わなければならないが、民訴法七七四条二項二号の『公示催告ニ付テノ公告ヲ為サ』ない場合とは、公示催告についての公告を全然しないか、又は公告の重要な内容に誤記、脱落等があり、もしくは除権判決に掲げられた法律上の不利益が、公示催告におけるそれと異なる場合を云い、本件のような場合は、これに該当しない、と解すべきである」（東京地判昭三二・一一・一四大阪株懇編最新株式会社判例総覧30）。

二　株券記載事項訂正のための再発行

株券は喪失の場合のみでなく、毀損、汚損あるいは裏書欄満欄等のためにも再発行されることがある。これらの場合、旧株券を回収して新株券を発行すべきことは当然であるが、もしこの回収を怠つた場合に、新旧株券の効力はどうなるか。株券の誤記訂正のために新株券を発行した場合につき、新株券のみが有効であつて、旧株券は廃紙に帰すと判示した判例がある。すなわち、取締役Aが、会社の商号を誤記した旧株券（会社の正しい商号は株式会社大原館であるのに大原館株式会社と記載されていた【6】参照）を回収せずに、右誤記を訂正した新株券を株主Bに交付したところ、右新株券はBのもとにおいて、Bの債権者によつて仮差押がなされ、取締役Aに保管せしめられた（もつとも原審は、右新株券は株主Bに交付されたことなく、取締役Aの手中にある間に右の差押えがなされたと認定したが、大審院は仮差押調書の記載から右認定を誤りと判断した）。その後右株券は競売され、競落人が代表取締役となつた。この会社に対し、株主の一人が、会社設立無効の訴を提起し、第一審において会社が敗訴したため、右代表取締役が控訴したのに対し、この者の取得した新株券は無効であるから取締役としての資格を有しない（旧商一六四I）と争われた。そこで、新旧株券のいずれが有効な株券であるかが問題となり、原審は、新株券はまだ株主に交付されていないとの事実認定に立つてこれを無効とした【48】。

【48】「惟フニ株券ハ特定ノ株主権ヲ表彰スルモノナルヲ以テ一アリテ二アルヘカラサルモノナレハ既ニ有効ナル株券ノ発行セラレアル場合ニ於テ同一株主権ヲ表彰スル株券ヲ発行セントスルトキハ会社ハ既ニ発行セラレアル株券ヲ廃棄スル為メ株主ヨリ之レヲ回収スルコトヲ要スヘク其ノ手続カ定款或ヒハ株主総会ノ決議ニヨリテ定メアルトキハ其ノ手続ニ従フコトヲ要スヘク然ラスシテ新ニ株券ヲ作成シ其レカ他ニ輾転譲渡セラルルモ株券トシテ効力ヲ有スルコトナキモノト解スルヲ至当トスル然ルニ前叙認定シタル事実ニヨレハ控訴会社ハ新ニ株券ヲ作成シタルモ株主見山竜蔵（B）ノ株券ニ付テハ既ニ発行セラレアル株券ノ回収ヲ為ササル間ニ新株券カ他ニ輾転譲渡セラルルニ至リタルモノナルヲ以テ其ノ新株券ハ未タ株券トシテノ効力ヲ有スルニ至ラサリシモノト謂ハサルヲ得ス控訴会社カ見山竜蔵ニ対シテ採リタル株券回収ノ為メノ催告ノ如キハ（前叙認定ノ如キ）予メ控訴会社ノ定款ノ定メアル手続ニアラスシテ唯単ニ取締役会ノ決議ニ由リタルモノナルコト前顕諸証ニ徴シ之レヲ確認シ得ルノミナラス株主総会ノ決議ニ基カサルモノナルコトモ前顕諸証ニヨリ窺ヒ得ヘキヲ以テ見山竜蔵カ前記催告ニ従ハサリシトスルモ同人ニ対シテ既ニ発行セラレアル株券カ無効ト為リ其ノ反面ニ於テ既ニ作成セラレタル株券カ有効ト為ルヘキモノニアラス況ンヤ前段ニモ認定シタルカ如ク前記仮差押ハ右催告ニ所謂失権猶予期間ノ未タ経過セサル間ニ実施セラレタルニ於テオヤ加之前段認定ノ事実ヲ別個ノ観点ヨリ検討スレハ前記新ニ作成セラレタル株券ハ未タ見山竜蔵ニ交付セラレ居ラサルモノナルヲ以テ所謂株券ノ発行行為カ未タナカリシモノト謂フヘク従テ右株券ハ此ノ点ヨリシテモ結局無効ノモノト認メサルヲ得ス」（東京控判昭一二・一二・四新聞四二二四二・一一）。

これに対し大審院は、前記割註にのべた如く、仮差押調書の記載より、原審の事実認定を誤りとして、新株券は株主によつて受領されていたものとの認定の上に立つて、次の理由をもつて原判決を破毀した【49】。

【49】「株券ノ発行ハ取締役ノ職務ニ属スルコトハ商法第百四十八条（現二二五）ノ規定ニ徴シ明白ナレハ会社ノ商号ヲ誤記シタル株券カ発行セラレタル場合に於テ之ヲ適当ノ方法ニ依リ是正スルコトモ亦其職責ナリト謂フヘク取締役ハ定款又ハ株主総会ノ決議ニ依リ是正方法カ定マリ居ルトキハ之ニ従フヲ要スケレトモ然ラサル場合ニ於テハ自ラ適当トスル方法ニヨリテ其訂正ヲ為スコトヲ得ルヤ明カナリ尤モ之レカ為従前ノ株券ヲ有スル者ノ権利ヲ侵害スルコトヲ得スト雖モ従前ノ株券ヲ有スル者カ異議ナク新タナル株券ヲ受領シタルトキハ受領ト同時ニ従前ノ株券ハ一片ノ廃紙ニ帰スルカ故ニ之ヲ回収セサリシトスルモ新タナル株券ヲ以テ無効ナリト速断スヘキニアラス此点ニ付キ原判決ハ本件ノ新タナル株券ハ未タ上告会社ノ取締役浅野岩雄（A）ノ手裡ニ存シ株主見山竜蔵（B）ニ交付セラレサル間ニ於テ見山竜蔵ノ債権者菅野庄之助ニ依リ仮差押カ為サレタル事実ヲ認定シタリト雖モ其認定ノ資料タル……六号三点仮差押調書ニ依レハ該仮差押ハ債務者見山竜蔵方ニ於テ為サレ差押物件タル株券ハ之ヲ上告会社ノ取締役浅野岩雄ニ保管セシメタル旨ノ記載アリ此調書ハ民事訴訟法第五百四十条ニ規定スル要件ヲ具備スルカ故ニ公正証書トシテ証拠力ヲ有スヘク然レハ上告会社カ新タニ発行シタル株券ハ其仮差押ノ当時株主見山竜蔵ノ手裡ニ存シタル事実ヲ認定セサルヘカラサルカ如シ果シテ然ラハ特別ノ事情ノ判示ナキ以上右調書ノ趣旨ニ反シテ為サレタル原判決ノ認定ハ違法ナリト謂ハサルヲ得ス若シ株主見山竜蔵カ一旦新ナル株券ヲ異議ナク会社ヨリ受領シタルモノトスレハ従前ノ旧株券ハ廃紙ニ帰シ新タナル株券カ株主権ヲ表彰スル証券トシテ有効ナルコトハ既ニ述ヘタル所ニ依リ明白ナレハ之ヲ無効ト判示シ本件控訴ヲ以テ上告会社ヲ代表スル権限ナキ者ノ提起シタル不適法ノモノト為シタル原判決ハ破毀ヲ免レス」（大判昭一三・六・二八法学八・二三二、小町谷・判例商法二巻一六三頁）。

事実認定につき、原審と上告審との間に差があるが、判例の批判としては、上告審の立っている事実認定を前提としなければならない。有効な旧株券（そこに記載されている商号が正式のものでなくとも、その効力を害しないことについては【6】参照）を回収せずに、さらに新株券を発行した場合に新株券が株主によつて受領されると同時に、判例のいう如く、旧株券は一片の廃紙に帰する(小町谷・前掲書同説)ものであろうか。一つの株式について二枚の株券の存在が許されない以上、どちらかを無効にしなければならない。私は、有効な株券の存在する以上これの現実の回収あるいは除権判決なしに新株券を発行しても、旧株券を無効にすることはできず、旧株券が回収されるまでは、後から発行された新株券の方が無効であると解するのが、むしろ当然の論理ではないかと思う(鈴木「記名株券の特異性」大阪株懇記念論集八三頁)。そしてまた、こう解する方が、旧法下の判例が虚偽の喪失届によつて再発行された新株券は無効であると解していた【27】【28】こととも一致すると、思われる(小町谷・前掲書一六四頁参照)。無効な新株券の取得者に対しては、会社が損害賠償責任を負担すべきことはもちろんである。なお、いつたん会社によつて回収された旧株券が、会社から盗取されて流通した時は、もちろん、その株券は無効で、善意取得者に対しては、会社が損害賠償責任を負担する(三戸岡・株主一四四頁)。

四　株券の返還請求

一　特定株券の返還請求

特定の株券の返還請求にあつては、被告がその株券を占有しないことが、判決当時確定している場合には、この請求を認容することは許されない【50】。

【50】「按スルニ原審ニ於ケル弁論ノ全趣旨ニ依レハ被上告人ハ上告人カ不法ニ本件株券ヲ占有セルコトヲ前提トシテ其ノ引渡ヲ請求シ其ノ之ヲ占有セスシテ引渡ヲ為スコト能ハサル場合ヲ予想シテ賠償ノ請求ヲ為セルコト明ナルヲ以テ……若シ上告人カ之ヲ占有セサルモノトセハ被上告人ノ株券返還ノ請求ハ不当ニシテ棄却

ヲ免レサルモノトス而シテ上告人ハ原審ニ於テ本件株券ヲ訴外都築元治郎ニ売渡シ同人ハ更ニ之ヲ大岩虎吉ニ売渡シタルニヨリ上告人ニ於テ之ヲ占有セサル旨抗弁シタルコトハ原審口頭弁論調書ニ引用シアル第一審口頭弁論調書ニ依リ明ナレハ原審ニ於テハ此抗弁事実ノ如何ヲ審理スルニ非サレハ本件株券返還請求ノ当否ヲ判断スルコトヲ得サルモノトス然ルニ原院ニ於テ上告人カ本件株券ヲ占有スル事実ヲ判断セスシテ輒ク被上告人ノ返還請求ヲ認容シタルハ審理不尽理由不備ノ不法アルモノニシテ上告論旨ハ理由アルモノトス」(大判昭一〇・一一・七民集一四・一八二三、西原・民商法雑誌三巻四号七七四頁、山田・判民昭和十年度一一九事件、升本・法学新報四六巻四号六四一頁、同旨、大判昭一一・一二・二二法学六・五一三)。

本件は、【56】のところでも、これをとりあつかうが、事案の内容は、要するに、被上告人が自己の所有の株券を訴外人に寄託して、その利用に対する報酬を得る目的でもつて、訴外人の代理人に交付し、白紙委任状は訴外人の株券預り証書と引換に交付する約束であつた。ところが、右代理人が勝手にこれを他に処分し、その後、被上告人名義の偽造の白紙委任状附きでこの株券を取得した上告人に対し、被上告人は、所有権に基き特定の株券の返還を請求し、予備的にそれが不能な場合には、その価額千三百五十円に相当する賠償を請求した。上告人は、本件株券をすでに他に譲渡して、現にこれを占有していないと抗弁しているにかかわらず、原審は、この事実について判断せず、株券の返還請求ならびに予備的請求を認めた。これを破毀したのが、右にかかげた上告審判決である。この判例の趣旨はもちろん正当である(前掲の諸判批参照)。したがつて、本件におけるような請求の場合に、被告が株券の占有の事実を否認すれば、裁判所はこの点を審理して、占有の事実がなければ、損害賠償請求権の存在についてのみ判決すべきことになる。

しかし、特定の株券の返還請求を受けた被告がその株券を現に占有していなくとも、彼自身がその株券を取戻すことができるときはどうであるか。次の判例は、この点について考える手がかりとなる。事案の概要は次のとおりである。被上告人Aの親権者Bは、上告人Cとの間に、A所有の株券について賃貸借契約を結び、白紙委任状を付けて、株券をCに交付した。この株券はCによつてさらにDに貸与され、Dは自己の債務の担保としてこれを債権者たるE銀行に交付し、E銀行はDの債務の弁済のないため、この株券を売却処分した。ところが、親権者Bのなした本件株券の賃貸借契約は、親族会の同意を得ていないとして、Aによつて取消された。こうして本件株券の賃貸借契約は無効となつたという事実に基いて、AはCに対し、第一次的には本件株券を返還せよ、もしそれができないときは、予備的に返還期日当時の右株券の時価に相当する金七千五百円を支払えと請求した。そして、上告人Cは発行会社の元専務取締役であつた者の未亡人として、会社とは特別の関係にあるから、この株券の現在の所持人を調査して、その株券を買取り、これを返還できるであろうと信ずると主張した。第一審は、Cの右の主張(現所持人をさがして本件株券を譲受けて原物のまま返すことは可能との主張)をいれて、その第一次的主張を認め、予備的請求については判断せず、第二審は、原物返還の能否についてなんらの判断をせずに第一次的請求を認め、予備的請求については判断しなかつた。これに対して、次に引用するように、大審院は株券の占有がすでに他に移転している場合に、その株券を取戻すことが可能なる事実を判示せずに、漫然と現物返還を命じたのは、不法であるとして、これを破棄した【51】。

【51】「案スルニ原審ハ其ノ挙示スル証拠ニ基キ本件株式ハ当時未成年者タリシ被上告人（A）ノ重要ナル資産トシテ買入レタルモノナル処其ノ母和嘉（B）ハ法定代理人トシテ親族会ノ同意ヲ得ス大正十三年一月頃之

ヲ上告人高橋多美（C）ニ対シ賃料ヲ毎月金十円ト定メテ賃貸スル旨約シ同上告人カ右株券ヲ担保其ノ他ニ利用スルヲ得ルカ為メ之カ名義書換ニ必要ナル白紙委任状ヲ添付シテ右株券ヲ交付シタルモ其ノ後昭和十一年十月二十九日ニ至リ右契約ハ親族会ノ同意ヲ得サルモノナルヲ以テ取消シ得ヘキモノナリトシ上告人高橋多美ニ対シ右賃貸借取消ノ意思表示ヲ為シ即日同人ニ到達シタル事実ヲ認定シ之ニ対シ右ノ如ク和嘉カ未成年者タル被上告人ノ法定代理人トシテ其ノ重要ナル資産タル本件株券ヲ担保ニ利用セシムル目的ヲ以テ何時ニテモ自由ニ他ニ名義書換ヲ為シ得ル様白紙委任状ヲ添付シ上告人高橋多美ニ賃貸スルカ如キハ親族会ノ同意ヲ要スルモノト解スルヲ相当ト為スヘキヲ以テ和嘉カ右ノ如ク親族会ノ同意ナクシテ賃貸シタル行為ハ之ヲ取消シ得ヘキモノナルカ故ニ右取消ニヨリ本件株券ノ賃貸借ハ当初ヨリ無効ト為リ上告人高橋多美ハ之カ返還ヲ為スヘキ義務アリト説明シタルノミニテ輒ク上告人ノ本件特定株券ノ返還請求ヲ認容シタルモノトス然レトモ右認定ノ如ク特定株券ヲ目的トスル賃貸借契約カ取消サレタル場合ニ於テハ当初ヨリ賃貸借存在セサルコトト為ルヲ以テ右契約ニ基キ占有ノ移転ヲ受ケタル上告人高橋多美ハ何等法律上ノ原因ナクシテ株券ノ占有ヲ利得シタルコトト為リ之カ返還ヲ為スヘキ義務アルコト勿論ナリト雖右ノ場合ニ於ケル返還義務ハ法律上前示説明ノ如ク不当利得ニ基ク返還義務ナルヲ以テ其ノ受ケタル利益（即株券ノ占有）カ現ニ上告人多美ニ存スルカ又ハ既ニ他ニ移転シタルモ同上告人カ之ヲ取戻スコト可能ナルニ於テハ同上告人ハ原物返還ヲ為スヘキ義務アルヘキモ若シ然ラスシテ原物返還不能ナル場合ハ金銭ニ見積リ価格返還ヲ為スヘキモノト解スルヲ妥当トスヘク従ツテ本件特定株券カ他人ノ占有ニ移転シタルコト被上告人主張ノ如クナルニ於テハ上告人多美ニ之カ原物返還ヲ命スルニハ同人ニ於テ之ヲ取戻スコトカ可能ナル事実ヲ判示スルコトヲ要スルモノトス然ルニ原審ハ此ノ点ニ何等ノ考慮ヲ払フコトナク唯タ漫然ト上告人多美ハ法律上当然本訴株券ヲ返還スル義務アルモノノ如ク判示シ之カ返還ヲ命シタルハ審理不尽ニ非レハ理由不備ノ違法アルモノニシテ此ノ点ニ関スル上告ハ其ノ理由アリ従テ上告人多美ニ対スル部分ハ到底破棄ヲ免カレサルモノトス」（大判昭一六・一〇・二五民集二〇・一三二四、末弘・判民昭一六年度八三事件、末川・民商法雑誌一五巻五号六七五、岡村・法学新報五二巻五号一二三頁）。

右の判旨に対しては、これを抽象的にみれば、極めて当然であるが、この場合の返還請求権を不当利得返還請求権と解することの妥当性について疑問がのべられ（末川＝岡村・前掲判批）、さらに実質的に、本件のような場合を、賃貸借契約と解することに無理があるといわれている（末弘＝末川・前掲判批）。すなわち、担保その他の目的に利用するために、白紙委任状を付けて交付する場合は、むしろ消費貸借契約と解するのが正しく、したがつて、原告としては、特定の株券の返還を請求すべきでなく、同種同量の株券の返還を求むべきであり、裁判所としても、この点について釈明権を行使すべきであるとする。

そこで次に、不特定の同種同量の株券の返還請求をめぐつて、判例上問題となつている点について考察しよう。

二　不特定株券の返還請求

この場合に問題になるのは、一定銘柄の一定数量の株券の引渡を求める請求とともに、その執行が不能なときはその引渡に代えて金銭の支払を求める請求が許されるかということである。この問題は株券に限らず、一般に、種類債務について論じられて来た（岩沢「将来の代償請求権の予備的請求と判例」法曹会雑誌九巻七号、関「何々を引渡すべし能はざれば金幾何を支払うべしとの判決に就て」法学志林四二巻三・四号、前田「何々す可し能はざれば何々すべしとの判決」法曹会雑誌二巻一一号―三巻二号、小山「塡補賠償請求訴訟の訴訟物について」（我妻還暦記念損害賠償責任の研究中巻）、村松「株券の引渡請求とその代償請求」商事法務研究一三一号）。そして、昭和一五年の民事連合部判決が、たまたま株券に関して、これを認めて以来【52】、判例学説においても、大体是認されている。

【52】「株式又ハ物ノ給付ヲ為スヘキ債務者カ其ノ給付ノ強制執行ヲ受ケタルモ其ノ執行奏効セス即執行不能ナル場合ニ於テ債務ノ履行ハ必スシモ不能ナルモノト云フヲ得サルコト勿論ナルモ履行不能ニ因ラサル右執

行不能ノ場合ト雖モ債権者ハ履行ニ代ル損害賠償ヲ請求シ得ヘキモノニシテ此ノ損害賠償ハ畢竟履行遅滞ニ因ル損害賠償ニ他ナラス而シテ本来ノ給付ヲ求ムル訴ニ於テ右損害賠償ノ予備的請求ヲ為シタルトキハ事実審裁判所ハ最後ノ口頭弁論当時ニ於ケル本来ノ給付ノ価額ヲ判定シテ其ノ本来ノ給付ヲ命スルト同時ニ右請求ノ限度内ニ於テ其ノ強制執行不能ナルトキハ該価額相当ノ損害賠償ヲ為スヘキコトヲ命スル判決ヲ為シ得ルモノト解スルヲ妥当トス今原判決ヲ通読スルニ其ノ主文中ニ「右株券ノ引渡ヲ為ササルトキハ」トアルハ用語不正確ナルモ要スルニ「右株券ニ対スル強制執行不能ナルトキハ」ト云フ趣旨ニ他ナラサルモノト解スルヲ相当トスルカ故ニ原判決ハ結局ニ於テ右当院ノ見解ト一致スルモノト云フヘク敢テ破毀スルニ足ルヘキ違法アルモノニ非ス論旨採用シ難シ然ルニ当院大正十三年(オ)第四四一号同十五年十月六日判決其ノ他ノ判例ニシテ右ノ判旨ニ反スルモノアルヲ以テ裁判所構成法第四十九条ニ依リ民事ノ総部ヲ聯合シテ審理シ民事訴訟法第三百九十六条第三百八十四条第九十五条第八十九条に則リ主文ノ如ク判決ス」(大判昭一五・三・一三民集一九・五三六、兼子・判民二八事件、村松・民商法雑誌一二巻三号、株券に関する同旨の判決としては、これより先に、大判大一二・三・七新聞二一二〇・一九、大判昭一三・三・一七判決全集五・七・一二があった)。

このように、代替物の引渡の請求とともに、その執行が不能な場合に、最終の口頭弁論終結当時の時価による損害賠償の請求を認めることは、理論構成にいささか難点がないではないがとされながらも(前掲村松・論文参照)、原則的には是認されている。しかし、目的物の性質上、その価格の変動の有無によつて、このような請求を許すべきか否かがさらに問題とされる。

まず第一に、目的物の価格が、口頭弁論終結当時と執行不能当時との間に全然変動のないものか、または少くとも将来騰貴するも不落するおそれのないものに限つて、このような請求を許す立場がある。この立場は、上場株であつて相場の変動が考えられる株式については、このような請求は許されないとする【53】。

【53】「被控訴人は、本件株券給付の強制執行が不能な場合には、株式の時価（口頭弁論終結当時の）相当額金七六、〇〇〇円の損害賠償をも併せて予備的に請求する。しかしながら、訴訟の目的物の引渡不能の場合における損害金は、その判決執行の場合において、目的物件の引渡に代るものであるから、当事者間にかかる場合の塡補賠償額について予め約定のある場合は格別であるけれども、かかる約定のないときには、損害の数額が判決当時と執行当時との間に一定不変の性質のものか、又は少くとも将来騰貴するも下落する虞のないような性質のものでない限り、判決当時においてその数額を確定することはできない。故に、このような性質を有しない物件の引渡不能の場合における、これに代る損害賠償の請求は許されないものと解するのが相当である。ところが、本件請求の目的である株式は上場株であり、相場の変動が考えられることは公知の事実であり又塡補賠償額について当事者間に約定のあつたことは何らの主張立証もされていないのであるから前記説示の通り、右予備的請求は失当である、というべきである」（東京地判昭三二・一〇・二七下級民集八・一九三一）。

これと正反対の立場に立つて、目的物の価格がどのように変動し得る性質のものであつても、右のような請求は許されるとするものがある【54】。

【54】「つぎに原告は株券引渡の請求にあわせて株券引渡不能の場合の履行に代る損害賠償（塡補賠償）として株券の価格に相当する金員の支払を求める。

本件の如く不特定物としての代替物の一定数量の給付の執行不能の場合の塡補賠償は現在給付義務の存在する本来の給付の変形として将来発生する請求権であるから、右の請求は将来の給付を求めるものとして、口頭弁論終結当時の本来の給付の価額の限度において許される（大審院昭和一五年三月一三日判決、民集一九巻五三〇頁、最高裁判所昭和三〇年一月二一日判決民集第九巻二二頁）。

これに対し、給付の目的物の価額が判決当時と執行当時との間に一定不変の性質のものか又は少くとも将来騰貴するも下落する虞のないような性質のものでない限り、判決当時においてその数額を確定することはできない故に、このような性質を有しない物件の引渡執行不能の場合における塡補賠償の請求は許されないとする

見解がある（大審院大正五年一〇月六日判決民集五巻七一九頁、東京地方裁判所昭和三二年一〇月一七日判決下級民集八巻一九三一頁）。

しかし執行不能の時に、本来の目的物の価額が下落していた場合塡補賠償請求権は執行不能時の価額をこえる部分については発生しなかつたことになるから、債務者は請求異議の訴を提起して、執行不能時の価額をこえる部分について執行力の排除を求め得ると解すべきである。（現在存在する賃貸借契約に基き将来発生する賃料についてなされた給付判決に対し、将来賃料の減額のなされた場合賃借人が請求異議の訴を提起して、執行力の排除を求め得るのと同断である。）

債務者は請求異議の訴を提起しなければならない不利益を受けるが、これは債務者が本来の給付義務を履行しないことに基因して債務者が受ける不利益（判例集では利益となつている）である。本来の給付請求が認容される以上、執行不能の場合の塡補賠償請求は口頭弁論終結当時の本来の給付の価額の限度において、当然認容されるべきである。

そこで大丸株式の口頭弁論終結当時の時価を考えるに、成立に争ない甲第七号証によれば昭和三二年一二月二八日現在大丸株式は一株金一八五円であることは明かで、その後の右の株価の変動については当事者雙方共何等の主張がなく、その後右の株価に大変動の生じた特別の事情も認められない本件においては、口頭弁論終結当時の価格も同一であると推定する。

よつて、原告の塡補賠償を求める本訴請求中、大丸株式一〇〇株の株券引渡執行不能の場合一株金一八五円の割合の損害金の支払を求める部分は正当としてこれを認容しその余は失当として棄却する」（大阪地判昭三三・一一・一四下級民集九・二二四三、村松・商事法務研究一三一号、同旨、東京地判昭三四・一一・二下級民集一〇・二三三九）。

本件は消費寄託された大丸の株式の返還請求に関するものである。なお、本判例は、自己と同じ立場に立つものとして、前掲の昭和一五年三月一三日の大審院判例【52】を引用しているが、この大審院判例をこのような趣旨のものとして理解することには学説上も争がある。たとえば、昭和一五年のこの大審院判例は、「代償請求の金額は口頭弁論終結当時の時価を以て算定すべきものとするが、判旨引用の従前の先例では目的の価格が大体において不変であるとか、又は将来執行をするまでに価格の低落を来たす虞のない場合とか、現在の価格に基き算定するのに妨げのない場合に限り、代償請求を許容できるものとしたのを変更したもので、この点に聯合部判決として第二の要点がある」と評価する説もあれば(兼子・前掲判批)、反対に、右判決はこの点については、何もふれていないし、それまでの判例の変遷を見ても、この判決が従前の判例の態度をかえたものとはとうてい解することはできない、とする説もある(村松・前掲論文)。そして、後説は、物の引渡請求とその代償請求との併合訴求に関して、第三の立場を表明する。

この第三の立場は、口頭弁論終結当時と執行当時との間に、目的物の価額に多少の差異はあつても大きな差異が生じない場合にのみ、右のような併合訴求を認めようとする(村松・前掲論文)。そして、この立場は前掲の大阪地方裁判所の昭和三三年一一月一四日の判例【54】が、傍論としてのべている点、すなわち、現実に執行される当時の株式の価格が、口頭弁論終結当時の価額より下落している場合に、口頭弁論終結当時の価格による賠償を強いることは、債務者にとつて酷な結果になるから、このような場合には、債務者は、その範囲で請求異議の訴を起こすことができるとする点を攻撃する。そして、株式の価格下落の場合に、債務者のために請求異議の訴を認めるならば、騰貴の場合には、債権者のために、損害をさらに請求することを認めなければ不衡平であるが、こういうことは許されない。なぜならば、「この塡補賠償の債権は現在の債権であつて将来の債権ではないのであり、不確定な債権ではなく確定している債権なのである。それなのに右のように目的物の価額が騰落するごとにその債権の内容に変動が生ずるということを認めれば、それを確定している債権ということができるであろうか」。また、実質的に考えても、「二重三重に訴を起すのと大差ないことになる」、と。要するに、この立場は、価格に大差のない場合にのみ、口頭弁論終結当時の価格をもつて打切り的に代償請求を認めようとする。しかし、価格のさ少の変動といつても、一体どの程度のものを指すのか、ことに株式の場合に、具体的にはどのように考えるのか、疑問が感じられないではない。

三　株券の返還不能と損害賠償額

何らの権限なしに株券を占有する者が、その株券を滅失せしめあるいは他へ処分したことによつて、真の権利者に対しその株券を返還することが不可能となつた場合に、この者の負担すべき損害賠償の額をいかに算定すべきであるか。判例は、このような場合において、株券の市価を標準とすべきではない、とする。すなわち、株券の真の所有権者が何らの権限なしに占有する者に対し、株券の返還を求め、その返還が不能なときは株券の時価に相当する金額の支払を請求した事件につき、大審院は、この請求を認めた原審を破毀して次のように判示した【55】【56】。

【55】「何等ノ権原ナクシテ株券ヲ占有スル者カ其ノ責ニ帰スヘキ事由ニ依リテ之ヲ滅失毀損シ因テ所有者ニ対シ之ヲ返還スルコト能ハサルニ至リタル時ハ其ノ占有ノ善意ナリシト悪意ナリシトニ従ヒ夫々所有者ニ生シタル損害ヲ賠償スヘキ義務アルコト論ナク占有者カ該株券ヲ他ニ譲渡シタル結果所有者ニ於テ之ヲ回復スル

コト能ハサルニ至リタルトキハ亦之ヲ株券ノ滅失ト云フヲ妨ケスト雖其ノ孰レノ場合ニ於テモ株券ノ所有者即株主ノ受ケタル損害ノ数額ハ株券ノ市価ヲ標準トスヘキモノニアラス蓋株券ノ喪失ソノモノハ株主権ノ消滅ヲ伴フモノニアラス株主権ニシテ尚存スル以上株主ハ会社ニ対シ之カ再交付ヲ請求スルコトヲ得ヘキモノナルヲ以テナリ然ルニ原判決ノ判定スルトコロニ依レハ上告人ハ何等正当ノ権原ナクシテ被上告人所有ノ株券ヲ占有スルモノナルヲ以テ之ヲ返還スヘキ義務アリ若シ之ヲ返還スルコト能ハサルトキハ被上告人ニ対シ株券ノ時価ニ依ル損害ヲ賠償スヘキモノナリト云フニ在リテ即上告人カ本件株券ヲ被上告人ニ返還スルコト能ハサルトキハ直ニ被上告人ニ於テ株券ノ市価ニ相当スル損害ヲ生スルモノノ如ク誤解シ何等特別ノ理由ナクシテ直ニ此ノ点ニ関スル被上告人ノ請求ヲ認容シタルハ理由不備ノ違法アルモノニシテ破毀ヲ免レサルモノトス」（大判昭二・一二・一六新聞二六六八・七）。

【56】「按スルニ株券ハ株主権ヲ表彰スル証券ナレトモ株券発行前ニ於テモ既ニ株主ハ存在シ株主ハ会社ニ対シ株券ノ交付ヲ請求スル権利ヲ有スルモノナレハ株主カ株券ヲ喪失シタル場合ニ於テ定款ノ規定ニ従ヒ再交付ヲ請求スルトキハ会社ハ其ノ再交付ヲ為スヘキ義務アルモノト謂フヘシ故ニ株券ノ喪失ハ株主権ノ消滅ヲ来スモノニ非サルコト明ナリ然ラハ則チ何等ノ権原ナクシテ株券ヲ占有スル者カ自己ノ責ニ帰スヘキ事由ニ因リ株券ヲ滅失セシメ株主ニ損害ヲ被ラシメタルトキハ株主ノ請求シ得ヘキ賠償額ハ株券其ノモノノ時価ニ依ルヘキモノニ非スト謂ハサルヲ得ス若シ夫レ株券ノ占有者カ該株主ニ対シ株主権ノ行使ヲ妨ケタルトキ即チ株主カ株券ノ再交付ヲ受クル迄ニ或ハ議決権ヲ行使スルコトヲ得サルニ因リ或ハ利益配当ヲ受クルコトヲ得サル等ノ理由ニ因リ損害ヲ被リタルトキハ株券ノ占有者ハ之カ損害ヲ賠償スヘキ義務アルヘク其ノ義務ノ範囲ハ占有ノ善意ナルト悪意ナルトニ因リテ異ナルコトアルヘシト雖其ノ賠償額ハ特別ナル事由ナキ限リ株券ノ時価ト同一ナルコトヲ得サルモノトス（大正十五年(オ)第五一三号昭和二年二月十六日当院判決参照）然ルニ原院カ上告人ニ於テ本件株券ヲ返還スルコト能ハス又ハ其ノ名義書換ヲ為スコト能ハサルトキハ常ニ株券ノ時価ニ相当スル損害ヲ生スルモノト誤解シ被上告人カ此等ノ事由ニ因リ叙上ノ如キ損害ヲ被リタルヤ否ヤヲ審査セス又何等ノ理由ヲ附セスシテ上告人ニ対シ株券ノ時価ニ相当スル賠償額ノ支払ヲ命シタルハ審理不尽理由不備ノ不法ア

ルモノト謂ハサルヲ得ス」（大判昭一〇・一一・七民集一四・一八三四、西原・民商法雑誌三巻四号七七四頁、山田・判民昭和一〇年度一一九事件、升本・法学新報四六巻四号六四一頁）。

右の両判決の理由とするところは、要するに、株券を占有する権限を有しない者が、株券を滅失せしめたり、他に処分したとしても、真の株主がその株主権を失うとは限らず、株主権を失わない以上、株主は、会社に対して株券の再発行を請求し得るから、株券を喪失したからといつて株式の時価相当の損害が生じたとはいえない、ということである。上述の二判例は、いずれも白紙委任状付記名株券の流通の商慣習の存在した当時のものであつた。そして白紙委任状が偽造された場合であつたから（ただし【55】については事実の詳細は不明）、その後の株券の転々流通によつては、絶対に善意取得の生じる可能性のない場合であつた（すくなくとも判例の立場では）。故に、問題の株券が不法占有者によつて滅失せしめられた場合はもちろん、他に譲渡された場合でも（この何れであるかは右判例では認定されていない）、真の株主がその権利を失う可能性は全く存在しなかつた。このような事情のもとでは、確に株券の返還不能の場合には、それに代えて、株式の時価に相当する損害賠償の請求を認めることは許されないであろう。しかし、株券の善意取得の原則（商二二九条）が確立した現行法のもとで、前掲の判例と同じ理論が妥当するであろうか。戦後の下級審判例中には、喪失者が、一方において、依然として株主たる地位を失つていないことを主張しながら、他方において不法処分者に対し、株式の時価相当の損害賠償を請求することを認めたものがある【57】。

【57】「原告（A）は一方において訴外今西（D）は本件の株券及び白紙委任状の悪意の取得者又は重過失ある取得者であるから株式を取得せず、従つて原告は現在も右株式の株主たる地位を喪失していないと主張しながら、他方において被告中谷（C）に対して株主たる地位を失つた場合と同様に株式価額全額及び配当金相

当の損害の賠償を請求しているので、株式の所有関係が原告主張の通りである場合に原告の右損害賠償請求が果して許されるかどうか一応判断を要する。（この点は被告中谷（C）は争うていないが、被告会社（甲会社）はこのような株式所有関係の際は原告の損害は未だ発生していないから、このような未発生の損害の賠償を請求することはできないとして強く争つている。）一般に動産の不法領得行為はその占有者から占有を奪い又はその占有を有する権限のある者が占有を回復するのを困難にするに止まり、その行為自体によつてその所有権者の所有権を喪失させる効果をもつものでないから、観念的には所有権の侵害行為ではあるけれども所有権の剥奪行為ではない。しかしながら右不法領得者がその占有を他に譲渡する等自らその占有を保持していない状態に至つたときは、動産の占有とその所有権の性質から（例えば民法百八十六条、百八十八条、百九十六条、百九十四条）所有権者は既にその権利を喪失しているか又はその権利を喪失する著しい危険に直面しているのであつて、実質的には所有権を喪失したも同様である。法律的には不法領得品の占有者は無過失取得の立証責任があるので厳格な意味で所有権者の推定を受けるものではないが、不法領得者がその不法領得行為とその不法領得品の処分行為によつて、所有権者の所有権を喪失させたと推定することは前記の実質的な法律状態に適合するばかりでなく、動産に関する法律の規定の趣旨に添うものである。換言すれば不法領得行為の被害者は被害品の占有を現実に回復するまでは、不法領得者の領得行為と処分行為によつて被害品の所有権を喪失したと推定されるから、不法領得者は被害者がその占有を現実に回復していることを立証しない限り、被害者が法律上占有を回復する権限のあることを理由として、被害者がその所有権を失つたものとして損害賠償請求するのを拒むことはできない。即ち被害者は被害品の現占有者に対して所有権に基く占有引渡の請求ができる場合においても、不法領得行為者に対して所有権喪失による損害賠償請求権は矛盾することなく同時に行使することができる。ただ所有者が現実に被害品の占有を回復した場合には損害賠償請求額を減額し又は受領した賠償額のうちから不当利得額を返還しなければならない関係にあるにすぎない。以上の動産に関する法則は動産に準じた取扱を受ける白紙委任状附の株券についてもそのまま適用される。本件においては現在本件株式の株主名義が訴外今西（D）となつていることは前認定の通りであるから、原告が右訴外人は株式所有者でなく現在においても、自己が株式所有者であると主張していても、その主張は原告が被告中谷（C）に対して同被告の不法行為によつて株式を喪失した場合の損害を受けたとしてその賠償を請求することを妨げるものではない（このことは原告が自己の訴外山上九三郎（B）に対する株券返還請求権に基いて同訴外人の被告中谷（C）に対する株券返還請求権を代位行使し、同被告が返還不能である場合に同被告に対して右返還にかえて株式喪失の場合の損害賠償請求をした場合と比較すれば、不法行為を理由とする損害賠償請求であるからと云つて契約上の義務不履行による損害賠償請求より不利益な取扱を受ける筈がないことからも容易に理解できる」（大阪地判昭二七・一〇・四下級民集三・一三八三）。

右判例の事案は次のとおりである。原告Aは被告甲会社の株式八百株の株主であつたが、訴外Bが他から金融を受けるについて、その担保として使用するために右株券の貸与を求めたので、Aは株券に白地式裏書を付し、かつ白紙委任状をそえてBに貸与した。Bは被告Cから借用した金銭の担保として右株券をCに交付した。その後BはCに金銭を返済したにもかかわらず、Cは右株券を返還せず、訴外Dに譲渡した。そこで原告Aは、被告Cに対し、不法行為による損害賠償として、株券の時価相当額ならびに配当金合計一万円の請求をした。なお、発行会社に対しても、原告の改印届を無視してこの株券の名義書換をなしたとして、右と同様の請求をした。前掲の判決理由は、被告Cに対する原告の損害賠償責任についてのものである。その論理によれば、株券の不法占有者が株券を不法に他に処分してしまつた場合には、たとえ現占有者（本件ではD）が悪意または重過失ある取得者であるためにもとの所持人が権利を失つていないとしても（もっとも本件ではこの点の事実認定はなされていない。判例はこのことを仮定して論理をすすめている）、もとの所持人は、不法に処分した者に対し、株券時価相当の損害賠償を請求し得るとする。この結論は、前掲の大審院判例のそれとは正反対である。右下級審は、この結論を、動産一般についての考察から引き出している。すなわち、不法領得者がその占有を他に譲渡する等、自らその占有を保持しない状態に至つたときは、動産の占有とその所有権の性質から、所有権者はすでにその権利を喪失しているか、またはその権利を喪失する著しい危険に直面しているのであつて、実質的には所有権を喪失したも同様である。したがつて、不法領得者は被害者がその占有を現実に回復していることを立証しない限り、被害者が法律上占有を回復する権限のあることを理由に、被害者がその所有権を失つたものとして損害賠償請求するのを拒むことはできない、と。この理論を株券に適用して、前述の結論を引き出した。たしかに、株券の善意取得の原則が確立しているところでは、たとえ、喪失株券の現所持人が判明し、かつそのものが悪意または重過失のある所持人であるため、法律上はこの者に対し返還請求をなしうるとしても、現実にそれを取り戻すまでに、さらに他に譲渡されてしまえば、そこで善意取得が生じて、所有権者は容易にその権利を失わしめられてしまうことになる。この事情が前掲下級審をして、右のような判決をなさしめた理由であると思う。なお、この下級審判決は、現占有者が悪意または重過失のある取得者であつて、被害者がこの者に対して所有権に基く返還請求ができる場合でも、不法領得行為者に対する損害賠償請求を認めるのであるから、現占有者の悪意または重過失が明確でない場合（通常はこれが多い）に、これを認めることはましていわんやということになるであろう。

ところが、この問題については、その後手形に関してではあるが、右下級審判決とは反対の、したがつて従来の大審院判例の立場に立つた判例が、最高裁判所によつて出されている。その事案は次のようなものである。甲（上告人）が訴外乙に対して約束手形を振出し、乙はこの手形を白地式裏書によつて丙（被上告人）に譲渡したが、その後、甲は丙より本件手形を騙取した。そして右手形が現に甲の手中に存することは、それが甲によつて証拠として提出されていることにより明らかであつた。第一審（広島地方裁判所福山支部昭和二九年七月一九日）は、手形金額相当額の損害の賠償を求める丙の請求を認容したので、甲が控訴した。原審（広島高等裁判所昭和三一年一月七日）も、丙は甲の不法行為によつて手形の所持を失つたのであるから、甲は丙に対し、手形金額に相当する二五万七千四百円の損害金およびこれに対する遅延損害金の支払をなす義務があると判示した。これに対し、甲は次のような理由をもつて上告した。すなわち、原判決は甲が丙から手形を騙取したというが、騙取したものとすれば、甲は丙に手形を返還すれば足りるのであり、また丙が履行に代わる損害賠償の請求をするのならば、丙において手形の所持の喪失による損害の発生およびその額を立証する責に任ずべきである。しかるにこれらの点を無視して、直ちに手形金額相当の損害賠償をみとめた原判決は違法で、破棄をまぬがれない、と。最高裁は次の理由をもつてこれをいれた【58】。

【58】「按ずるに原判示によれば、被上告人は判示経緯の後上告人らの不法行為に因つて本件手形の所持を失い、その額面金額相当の損害を被つたものであるというのであり、そして一方本件手形が上告人の手中に存することは原審において上告人から右手形が乙第一号証として提出されている事実に徴し明らかなるところである。

してみれば、被上告人は本件手形上の権利を喪失しているわけのものではなく、ただその所持を奪われているに過ぎないのであるから、もし被上告人においてその所持を回復するが為めに費用を要したものとすれば、それが被上告人（原文は上告人となつている）の被つた実損額となるは格別として、右のように手形の所持を失つたということだけでは未だ以て手形額面金額相当の損害を被つているとは解するを得ないものとすべきであり、そして右のように損害を被つているものと理解するが為めには、手形が善意で且つ重大な過失のない第三者の手中に帰したとか（手形法一六条二項参照）、あるいは紛失ないし転々して所在が不明になつたとか、焼失したとか、汚損等によつて一片の反古紙に化したとか（但しこのような場合でも除権判決を得て手形債権を行使し得るときは別論である）、あるいは右のように所持を失つている間に手形債務者が全く支払能力を失つたとかいう事実の存在することを必要とするのである。然るに原審はそのような点には更に考慮を運らした形跡がなく、ただ漫然と被上告人において上告人らの不法行為により本件手形の所持を失わしめられたから手形額面金額相当の損害を被つたものだと断定したのは、審理不尽のそしりを免れないものであつて、論旨は結局理由あるに帰し、原判決はこの点において到底破棄を免れないものである」（最判昭三四・六・一一民集一三・六八三、山口・民商法雑誌四一巻五号竹内・法協七七巻三号）。

この論理は株券のみならず、一般に善意取得のなされうる有価証券についてもあてはまるものと思われる（論理自体の正否は別として）が、それは、要するに、有価証券の占有を不法に奪われている権利者が、額面金額相当の損害賠償を請求し得るためには、法律上権利を喪失せしめられたか（第三者による善意取得の成立）、事実上取戻しが不可能か（紛失ないし転々して証券の所在が不明）の状態が生じたことを要する、しかも、最後の場合においても、除権判決を得て、証券上の権利を行使し得る場合は別である、とするものである。これは、まさに旧法下における判例【55】【56】の立場をそのまま受けついでいるものと思う（竹内前掲判批は判旨を抽象的には正当であるとする）。

この問題は、不法行為における損害賠償責任が成立するための要件とされているところの損害発生の現実性を、いかに考えるかに帰着するものと思う。もし、株主権の確定的喪失を要求するものとすれば、右の最高裁判例のような結論になるであろうと思う。しかし、株券の善意取得の可能性を強く認めている現行法のもとでは、この結論は、被害者に対してあまりに酷になりすぎはしないかと思う。たとえ現実に所持人が判明していても、この者から株券を取り返し得るためには、この者の悪意または重過失について、被害者は立証責任を負担せしめられていることを考えれば、損害発生の要件をあまりに厳重に要求すべきではないと考える。したがつて、株券の現所持人の所在の判明の有無を問わず、被害者は不法処分者に対し、株券の時価全額に相当する損害賠償の請求ができると解すべきであろう。

なお、右の最高裁判例は、除権判決を得て手形上の権利を行使し得るときは、損害賠償請求はできないという。つまり、喪失株券の所在が不明であつたり、あるいは焼失したようなときは、権利者は、除権判決を得て証券上の権利を行使し得るから、損害は発生していないとの趣旨かと思われる。しかし、例えば預けてある株券が滅失したといわれたところで、権利者としては、株券が本当に滅失したものか、それとも他に不法に処分されていながら、滅失したと主張しているのか、判定が困難である。もし後者であれば、他に善意取得者の存在する可能性があり、公示催告中に権利の届出のなされるおそれがある。このような危険をおかしてまで、被害者をして公示催告手続への道をたどることを強制するのは、不法行為者の行為の不法性との間に均衡を失する感じがしないではない(山口・前掲(判批も同説))。故に、被害者としては、公示催告手続をふまずとも、直ちに株券時価相当額の損害賠償請求ができ、また、公示催告手続の遂行と並んで右請求ができると解すべきでなかろうか。

さらに、損害賠償額の算定については、前掲の下級審判決【57】は、次のように判示している【59】。

【59】「被告中谷は、原告が本件株式の所有権を喪失したことによつて、受けた全損害を賠償する義務があるところ、右損害の数額は同被告に本件の株券及び白紙委任状を訴外山上九三郎に返還しなければならない義務が生じた時から現在に至るまでの間に、原告が右株式八百株を他に売却して得ることのできた筈であつた株式代金額と右義務発生の時から右売却の時までの間に原告が受取ることのできる筈であつた株式の配当金額に相当すること明らかであつて原告は右売却することのできた筈であつた時を前示義務発生の時から現在までの間の相当な時に指定できる理である。しかして原告が損害賠償請求額に対して本訴状送達の翌日から遅延損害金を請求している趣旨に徴すれば、原告は右売却することができた筈の時を本訴提起当時に選定したと認められるところ、当時本件株式の価格が一株金七十三円であつて、前記返還義務発生の時から当時までの間に右株式八百株に対して二回に亘り金一万円の配当があつたことは被告中谷の争わないところであるから（このことは新聞紙所載の株式価格によつても明瞭である。）被告中谷に対し右一株金七十三円の割合による八百株の代金に相当する金五万八千四百円と配当金一万円の合計金六万八千四百円の損害の賠償と、右金額に対する本訴状送達の日の翌日である昭和二十七年五月二十四日以降完済に至るまで年五分の割合による遅延損害金の支払を求める原告の請求は全部相当である」（大阪地判昭二七・一〇・四下級民集三・一三八三）。

これによると、被害者は、株券の返還請求をなし得る時から現在にいたるまでの間の任意の時期をとつて、その時の株価を基準として損害賠償の請求ができ、さらに、その時までに受け得べかりし利益配当額をもこれに加算して請求し得ることになる。しかし、不法行為による損害額の算定の時期については、従来判例の立場も分れていたが、大正一五年の聯合部判決によつて、原則として不法行為の時を基準としてその時の交換価格によつて、損害額を算定すべきものとされた（大聯判大一五・五・二二民集五・三八六、末弘・判民大正一五年度五三事件、加藤前掲書二一八頁）。したがつて、前掲下級審判例は この聯合部判決の立場には反するものといわねばならない。

さらに前掲下級審判例は、株券返還義務発生の時と本訴状送達の日の間において原告が受取ることのできたはずの利益配当額の賠償をも認めている。得べかりし利益配当を得られなかつたという損害と、株券の不法処分との間には直接的ではないが（利益配当の受領不能は記名株式にあつては、株券の喪失によつてではなく、株主名簿上の名義の書換によつて生ずるからである。西原・前掲判批）、相当の因果関係の存在は認められる。したがつて、右下級審判例が、訴状送達の日における時価による損害賠償の外に、右配当額の賠償を命じたのはいちおう正当といえる。しかし、前述のように、不法行為による株券の損害賠償額は、不法行為のなされた時の交換価格とすべきであるとの立場をとれば、いささか問題がないではない。というのは、株価には配当落ちの現象があり、したがつてそれ以前は、配当含みで値がついているため、これで賠償額を計算しながら、なお、その期の利益配当額をも賠償額に加算するのは、正当かということが考えられるからである。国債証券の横領による損害賠償額の算定について、横領当時の価格をもつて賠償請求額とした場合には、横領行為以後において弁済期に達し、所有者が受領することのできなかつた利子については賠償請求はできないとした判例がある【60】。

【60】「国債証券其他公私ノ債券ノ取引価格中ニハ券面額ニ対スル将来支払ハルヘキ利子ヲ予見シ之ヲ包含セシメテ算定スルヲ通例ト為スヲ以テ他人ノ所有ニ係ル証券ノ横領ニ因リテ其所有者ニ生セシメタル損害ニ付キ賠償ノ請求アリタル場合ニ於テ横領当時ニ於ケル証券ノ価格ヲ以テ賠償ノ請求額ト為シタルモノセンカ右価格ハ横領当時ニ於ケル証券ノ元本及ヒ之ニ伴フヘキ法定果実ニ相当スルモノナルヲ以テ其以外ニ於テハ右賠償請求額ニ対スル判決執行終了マテノ法定利子ヲ請求スルハ格別横領行為以後ニ於テ弁済期ニ達シ所有者カ受領

スルコトヲ得サリシ証券利札ノ対価即チ法定果実ノ対価ニ付キ為セル請求ハ之ヲ許容スヘキニ非ス（但シ証券ノ横領ニ因リ他ニ現実損害ヲ生セシメタル事実アラハ之ヲ請求スルコトヲ妨ケス）若シ又請求当時ニ於ケル証券ノ価格ヲ以テ賠償請求額ト為シタリトセンカ其以外ニ右請求以前ニシテ横領行為以後ニ於テ弁済期ニ達シ所有者カ受領スルコトヲ得サリシ証券利札ノ対価ニ付キ為セル請求ハ相当ナレハ之ヲ許容スヘキモノトス然ルニ原判決ハ民事原告人カ被告人等ノ横領シタル国債証券ノ価格トシテ請求セル二千八百十九円ハ何時ニ於ケル価格トシテ算定シタルモノナルヤ又其中ニハ証券ノ利子ヲ包含セシメタルモノニアラサルヤ否ヤヲ確定スル所ナキヲ以テ其以外ニ横領行為以後ニ於テ弁済期ニ達シ而カモ右横領行為ナカリセハ民事原告人ノ受領シ得ヘカリシ証券ノ利子百二十五円ノ損失ヲモ損害ト為シ被上告人等ニ之カ賠償ヲ命シタルハ果シテ其当ヲ得タルヤヲ判断スルニ由ナク原判決ハ理由不備ノ違法アルヲ免レス」（大判大六・六・二八刑録二三・七二三）。

なお、損害賠償額算定の一般的問題については、谷口・損害賠償額の算定（本叢書民法(4)）参照。

五　株券に対する強制執行

わが民事訴訟法は、「有体動産ニ対スル強制執行」という款のもとで、有価証券を差押えた場合の換価方法について定めている（民訴五八一）ところからみれば、有価証券に対する金銭債権の執行は有体動産に対する執行方法によらしめるようであるが、他方において「債権及ヒ他ノ財産権ニ対スル強制執行」の款のもとでは、「手形其他裏書ヲ以テ移転スルコトヲ得ル証券ニ因レル債権」の差押について定め（民訴六〇三）、ここでは、指図証券に対する金銭債権の執行方法は債権に対する執行方法によるべきものとするようにも解せられる。もつとも、いずれの条文によつても、差押は執行吏が差押うべき証券を占有してこれをなす点では変りはないが、換価方法に関し、五八一条によつて執行吏が任意売却または競売しうるか、五九四条以下によつて差押えた債権の換価方法によるべきことになるか、という点で差がでてくる。そこで、一体、五八一条の有価証券とは何を指すか、六〇三条にいうところの「裏書ヲ以テ移転スルコトヲ得ル証券」にはどのようなものがふくまれるか、ことに記名株券はいずれに含まれるかが問題となる。株券の裏書が認められていなかつた旧法下においては、記名株券は形式上も六〇三条の証券には該当せず、判例は、一貫して、これを有体動産としての執行に服するものとしてとりあつかい、差押は執行吏が五六六条によつてこれをなし、換価は五八一条によつて、適宜売却または競売し得るものとしてきた【61】【62】。

【61】「株式ニ対スル強制執行ハ有体動産ニ対スルモノト同シク民事訴訟法第五百六十六条以下ノ規定ニ従ヒ執達吏其株券ヲ占有スルニヨリ為スコトヲ必要トシ同法第五百九十四条以下ノ規定ニヨリ執行裁判所ノ差押命令ヲ以テ為スヘキモノニ非サルト同時ニ叙上ノ方法ニ違背シタル強制執行ハ全ク違法ノモノト謂ハサルヘカラス」（大判大八・六・二三民録二五・一〇八六）。

【62】「株式ニ付株券カ発行セラレタルトキハ其ノ株式ニ対スル強制執行ハ民事訴訟法第五百八十一条ノ規定ニ従ヒ執達吏其ノ株券ヲ占有シ之カ換価ヲ為ス方法ニ依ルコトヲ必要トシ同法第五百九十四条以下ノ規定ニ従ヒ執行裁判所カ差押命令及譲渡命令ヲ発スルモ其ノ命令ハ無効ナルノミナラス債務者ハ特ニ其ノ命令ノ無効タルコトヲ宣言スル裁判アルヲ俟タス之カ無効ヲ主張シ得ルコトハ夙ニ当院ノ判例トスル処ニシテ（大正八年オ第二三六号同年六月二十三日判決参照）今之ヲ変更スル必要ヲ見ス」（大判大一三・一〇・三〇商判集一七九頁）。

学説もまた、記名株券は指名証券ではあるが、証券上の権利が長く存続すべき性質のものであつて、かつ取引界において随時に売却しうるものであるから、有体動産としての執行に服すると解していた（雉本「有価証券ニ対スル金銭債権ノ執行」民事訴訟法論文集三四一頁）。記名株券の指図証券性が確立した現行法のもとでも、右の理由はそのまま妥当すべく、その差押は五六六条によつてこれをなし、換価は五八一条によつてこれをなすべきことには異論はない（兼子「株式に対する強制執行」株式会社法講座二巻七六九頁）。

なお仮差押中の株券について、発行会社において、株式併合の方法による減資手続の実行のために株券提供の催告があつた事実を知りながら、適当な処置を講じなかつたことが原因で、旧商法二二〇条の二による失権が生じた場合における執行吏の責任に関する判例として、次のものがある【63】。

【63】「執達吏カ動産ノ仮差押決定ニ基ク債権者ノ委任ニ因リ債務者所有ノ株券ヲ差押ヘ之ヲ占有中株式ノ発行会社ニ於テ其ノ併合ノ方法ニ依ル減資手続ヲ実行シ株主ニ対シ商法第二二〇条ノ二(現三七七条対照)所定ノ通知ヲ為シ従テ株主カ指定期間内ニ株券ヲ会社ニ提供セサルトキハ株主ノ権利ヲ失フヘキ場合ニ於テハ執達吏ニ於テ此ノ事実ヲ知リタル以上民訴法第五七一条ニ則リ差押物保存ノ為ニスル特別ノ処分トシテ右失権ヲ防止スルニ適当ナル処置（例ヘハ発行会社ト協議ノ上株券ヲ提供スルト同時ニ尚之ヲ差押物トシテ会社ノ保管ニ付シ新株式発行ノ上ハ新株券ヲ旧株券ニ代ヘテ執達ニ交付セシムルカ如シ蓋シ差押ノ効力ハ旧株式ニ代ル新株式ニ及フヘキモノナレハナリ）ヲ講スヘキハ当然ニシテ之ヲ怠リタル為失権ノ結果ヲ招キ債務者ニ損害ヲ被ラシメタルトキハ民訴法第五三二条所定ノ義務違背ニ因ル賠償ノ責ニ任スヘキモノナルト共ニ差押債権者ニ於テモ斯ル結果ノ発生ニ付其ノ過失ノ存スル以上一般不法行為ノ責ヲ免ルヘキモノニアラスト解スルヲ相当トス……去レハ原審ハ須ク諸般ノ事情ニ基キ被上告人政昭(C)カ右失権ノ結果発生ヲ防止スル為相当ナル処置ヲ講スルヲ得サリシヤ否ヤ及斯ル処置ノ存スル以上之ヲ怠リタルコトナカリシヤ否ヤ又高砂銀行(乙銀行)ニ於テモ差押債権者トシテ右結果ノ発生ニ付過失ナカリシヤ否ヤヲ審究シ以テ本訴請求ノ当否ヲ判断スヘキニ拘ラス事玆ニ出テス単ニ原判示ノ理由即チ民事訴訟法第五百七十一条ニヨリテ為スヘキ差押物保存ノ結果カ毫モ債権者ニ利益ヲ与ヘサル場合ニ於テハ執達吏ハ該規定ニヨル特別処分ヲ為ス義務ナシ而シテ本件株券カ発行会社ニ提供

セラルルニ於テハ当該株式ハ併合ニ依リ消滅スヘキヲ以テ被上告人政昭カ之ヲ提供スルコトハ仮差押ノ目的物ヲ消滅セシムル所以ニシテ債権者タル高砂銀行ヲ利スル所ナク却テ損失ヲ与フル次第ナレハ同被上告人ハ上告人（A）ノ申出ニ応シ株券ヲ提供スル義務ナク高砂銀行ニ於テモ何等失権防止ノ手続ヲ為スヘキ義務ナキ旨ノ理由ヲ以テ輙ク上告人ノ前記主張ニ基ク賠償請求権ヲ否定シタルハ法律ノ解釈ヲ誤リ延テ審理不尽ニ陥リタル違法アリ原判決ハ破毀ヲ免レサルモノトス」（大判昭一四・二・八民集一八・八九、兼子・判民昭和一四年度八事件、薄根・民商法雑誌一〇巻一三五頁、末川・銀行論叢三二巻六号一三頁）。

事実の概要をのべるならば次の如くである。上告人（控訴人、原告）Aは訴外Bより、訴外甲会社の株券一二〇株を譲受けたところ、Aの債権者乙銀行（被上告人、被控訴人、被告）が、執達吏C（被上告人、被控訴人、被告）に委任して右株券を差押えしめ、Cはその占有を取得して、乙銀行の金庫に保管した。ところが、その後甲会社は半額減資を決議し、従前の株式二株を合して一株とすることを定め、一定期日までに株券を提供すべきことを、失権予告付きで株主名簿上の名義人Bに通知し、同人はさらにAに通知した。そこで、Aは書面をもつて執達吏Cに本件株券を発行会社に提供すべき旨を通知したが、Cはその手続をなさなかつた。そのため上告人は株主たる権利を失い新株式は競売され、上告人は売得金二五八円をBを通じて受領した。ところが、失権した本件仮差押に係る株式は、本執行に移つて競売され、売得金二六一円は上告人の債務の弁済に充当された。上告人は、右本執行までは、執達吏において本件株券を会社に提供し、したがつて失権とはならなかつたと思つていたが、右執行によつてはじめて失権の事実を知つた。もし上告人が失権せず、これに代るべき新株券を取得していたとすれば、右減資後株式は昂騰したから、この昂騰による価格と、かつて失権による競売代金として会社より受取つた金額との差額二千円は、上告人が転売により得べかりし利益に相当し、この分だけ損害を被つたとして、執行吏ならびに債権者銀行に対し、右金額を請求した。前掲判例批評も判旨に賛成する。現在ならば、関係人は公務員の職務違背として、国家賠償の請求ができる（兼子・前掲論文七七〇頁）。

六　株券に対する質権の実行

下級審判例中には、古くは、記名株式に対する質権の実行は、指名債権に対する質権の実行として、民訴法六一三条による換価命令を申請しうるとしたものがあり【64】、

【64】「記名株式ハ民法上指名債権ト認メラレ且ツ其債務タルヤ性質上直接ニ取立ツルコト得サルモノナルカ故ニ斯ル債権ヲ目的トスル質権者ハ其権利ノ実行トシテ民事訴訟法第六百十三条ニ基キ換価命令ヲ申請スルコトヲ得ルヤ勿論ナリト云フヘシ相手方代理人ハ此点ニ関シ株券ハ有価証券ナルヲ以テ民事訴訟法第五百八十一条ノ規定ニ依リテ処分ス可ク之ニ付キ換価命令ヲ申請シ得ヘキモノニアラスト為シ仮ニ換価命令ヲ申請スヘキモノトスルモ抗告人カ差押ノ手続ヲ為サスシテ直チニ換価命令ヲ申請シタルヲ不当ナリト論スレトモ株券ヲ目的トスル質権ハ畢竟株券ニ依リテ証明セラルル株主ノ権利ヲ目的トスルモノニ外ナラスシテ記名株式ハ前段説明ノ如ク民法上一ノ指名債権ト認メラルル以上ハ其質権ノ実行方法トシテ民事訴訟法ニ所謂債権ニ対スル執行手続ニヨルモ決シテ不当ト為ス可カラス本件ニ於ケル質権ノ目的ハ記名株式タル一ノ指名債権タルコトハ前既ニ説明シタル所ニシテ仮令白紙委任状ノ添付アリテ任意ニ本件株式ヲ処分スルコトヲ得ルモノトスルモ為メニ抗告人カ法定ノ手続ヲ履践シテ質権ノ実行ヲ為スコトヲ妨クルモノニアラサルナリ」（東京地判明三七・四・二〇新聞二〇七・二五）。

また、記名株式は、これを動産として取扱うにしても、これに対する質権の実行は競売法によるべきでなく、民訴法中の動産に対する強制執行の規定によるべきであるとするものもある【65】【66】。

【65】「按ずるに申立人が被申立人に対する金一万九千五百円の債務の履行を為さざりし為め被申立人に於

て之が質権の実行として其目的たる別紙の記名株式に対し執達吏野々山玉吉に之が競売の委任を為し同執達吏は競売法による競売として其期日を定め関係人に其通知を為したることは取寄に係る競売記録により明かなり而して記名株式を目的とする質権の実行に付ては競売法中何等規定なく且記名株券は性質上有価証券の一種にして直接に取立つることを得ざる権利なるが故に之が質権の実行を為さんとするには民法第三百六十八条により民事訴訟法の規定を準用すべきものと解せざるべからず果して然らば右執達吏の為したる方法は違法にして許すべからざるものとす」(名古屋区決昭二・一〇・一九新聞二七五三・八)。

【66】「記名株式ヲ目的トスル質権実行ノ方法ニ付テハ競売法中何等ノ規定ナク且記名株券ハ有価証券ノ一種ニシテ直接取立ツルコトヲ得サル権利ナルカ故ニ之カ質権ノ実行ハ競売法ニヨリ競売スルヲ得サルノミナラス又民法第三百六十七条ニ依ルコトヲ得スシテ民法第三百六十八条ニ依リ民事訴訟法中動産ニ対スル強制執行ノ規定ヲ準用スヘキモノニシテ債務名義ナキノ故ヲ以テ競売法ニ依リ競売スヘキモノニアラス民事訴訟法中ニハ特ニ競売法第八条ノ如キ規定ナキヲ以テ記名株式ノ競売ノ場合ニ於テハ競売ノ場所及ヒ日時ハ之ヲ公告スルヲ以テ足リ特ニ利害関係人ニ通知ヲ発スルコトヲ要セサルモノトス執達吏ニ於テ記名株式ノ質権実行ノ方法ハ競売法ニ依リ競売スヘキモノト誤信シ而モ競売ノ場所及ヒ日時ノ通知ヲ為スコトヲ忘却シタリトスルモ本来斯ル通知ヲ要セサルモノナルヲ以テ斯ル通知ヲ為ササルコトハ毫モ手続ノ違法ヲ来ササルモノトス」(広島地判昭四ワ三五号、新聞三四四〇・一〇)。

その理由は、要するに、記名株式を目的とする質権の実行の方法については、競売法中に全然規定がない点におかれているように思う。したがつて、記名株式に対する質権は権利質の一つとして、民法三六七条あるいは三六八条によつて、これを実行することになるが、株主権は取立て得べき権利でないから、三六七条の適用はなく、もつぱら三六八条によつて、民訴法の定める執行方法によつてこれを実行する、との趣旨と解される。

そして、大審院判例中にも、これと同じ立場に立っていると解されるものがある【67】。

【67】「権利質ハ民法第三百六十八条ニ依レハ民事訴訟法ノ定ムル執行方法ニ依リテ質権ノ実行ヲ為スコトヲ得ヘキモノニシテ質権ニ在テハ債権者カ質物ノ占有ヲ為スモノナレハ株券ノ如キ有価証券ヲ質権ノ目的ト為シタルトキ其質権ヲ実行スル場合ニハ執達吏ハ民事訴訟法第五百八十一条ニ従ヒ質権者ノ占有スル有価証券ヲ売却又ハ競売シ得ヘク而シテ其質権ノ目的タル有価証券ハ債務者ノ所有ニ属スルモノナルコトヲ要セサルコトハ民法第三百四十二条第三百五十一条ニ依リ明カナルヲ以テ民事訴訟（法）第五百八十二条ニ従ヒ為スヘキ有価証券ノ名義書換ニ必要ナル陳述ハ常ニ債務者ニ代ハルモノト限ルヘキニアラスシテ有価証券ノ名義人カ債務者以外ノ債第三者ニシテ質権者カ其有価証券ノ上ニ有効ニ質権ヲ取得シタルモノナルトキハ右ノ陳述ハ有価証券ノ名義人ニ代ハリ之ヲ為シ得ルモノト為ササルヲ得ス」（大判大七・二・一四民録二四・一九八）。

本件では、債務者以外の第三者を名義人とする記名株券の競落人は、民事訴訟法五八二条により会社に対し、株式名義人に代る執行吏の名義書換請求書により、株式名義の書換を請求し得るかの問題に関し、原院は、「本件ノ如キ記名株式ヲ目的トスル質権ノ実行ニ付テハ競売法中何等規定スルトコロナク且此等記名株券ハ性質上有価証券ノ一種ニシテ而モ直接ニ取立ツルコトヲ得サル権利ナルカ故ニ民法第三百六十八条ニ従ヒ民事訴訟法第五百八十一条以下有価証券ノ差押ニ関スル規定ノ準用アルモノト解スヘク従テ記名株式ノ競落人ハ同法第五百八十二条ニ依拠シ当該株式会社ニ対シ株式名義人ニ代ル執達吏ノ名義書換請求書ニ依リ株式名義ノ書換ヲ請求シ得ルモノト論断セサルヲ得ス」と判示した。これに対し上告人たる発行会社は、「民事訴訟法五八二条ハ債務者カ確定シタ債務名義ニ基キ其所有ノ記名式有価証券ヲ売却セラレ買主名義ニ之ヲ書換ユヘキ義務アルニ拘ラス之カ履行ヲ為ササル場合ニ更ニ訴ニ依リ之ヲ強制スルノ煩ヲ避ケンカ為メ設ケラレタル規定ナルコト明瞭ナルヲ以テ」」、この条文は競売法ノ競売手続において債務者が株券の名義人である場合には準用されても、第三者の名義である場合には準用されない。この場合には競落人より名義人に対し書換手続を請求し、この者がこれに従わないときは、その意思表示に代るべき裁判を得なければならないとの理由をもつて、上告した。前掲の判例はこの上告理由に答えたものである。ただ、この事案では、前に掲げた下級審判例の事案とは異り、記名株券の質権の実行は競売法の競売によるべきかどうかの点が問題になつているのでない。故にこの判旨から、右の点についての判例の考え方を直ちに推論することは危険ではある。しかし、この判例が、記名株券に対する質権を権利質として、「権利質ハ民法第三百六十八条ニ依レハ民事訴訟法ノ定ムル執行方法ニ依リテ質権ノ実行ヲ為スコトヲ得ヘキモノニシテ」、といつていることは、記名株券に対する質権の実行は、競売法によるべきでなく、民訴法の定める執行方法によるべき立場を表明しているものと思う。そして、その執行方法としては、有価証券として、民訴法五八一条以下の規定によるべきであるとの立場に立つているものと解される。

これに対し学説は、記名株券に対する質権の実行は、競売法による有体動産の競売手続によるべきものとする。その理由として、無記名株式は、民法上すでに動産とみなされるから（民八六Ⅲ）、当然のことであるが、記名株式の場合も、その権利の移転には有価証券たる株券の所持を必要とするから、これをも有体動産として、競売法三条以下の規定に服せしむべきであるとする（兼子「株式に対する強制執行」、株式会社法講座二巻七七二頁、鴻「株式の質入」、同二巻七四〇頁、斎藤・競売法四三頁註一）。要するに、記名株券の質権の実行には競売法の適用がないとする前掲諸判例、ことに【65】【66】の下級審判例は競売法中には記名株券の競売についての規定が全然ないとするのに対し、学説は、記名株券をも有体動産とみることによつて、競売法中にこれに関する規定があると解するわけである。同旨の下級審判例もある【68】。

【68】「記名の株式を質権の目的と為す場合には質権の設定者より債権者に当該の株券を交付するに因りて其の効力を生じ白紙委任状の添付其の他特別の対抗要件を必要とせざるものというべく又債務者が弁済期に至りて債務の支払を為さざるときは質権者は競売法の動産に関する規定に依拠して当該株券の競売を為すの権利を有するものとす。競売法第三条に依れば質権者が為す競売は其の競売を為さんとする者の委任に因り競売を為すべき地の区裁判所所属の執達吏之をなす、前項の委任は書面に依りて之を為すことを要すとありて、其の書面の要件、形式に付ては何等規定するところなきも同法第二十四条の趣旨に鑑み少なくとも競売の原因たる事由の表示を為し且其の原因を疏明することを要するものと解するを妥当とす。抗告人等は占有者が占有物の上に行使する権利は之を適法に有するものと推定せらるるを以て現に抗告人等に於て質物を占有し之が質権を主張して其の実行の為めの競売申立を為したる以上執達吏は疏明の有無に拘らず之を受理して競売手続を開始せざるべからずと主張すれども私法上占有者が占有物の上に行使する権利を適法に有するものと推定せらるるの故を以て競売法に於ける競売の為め執達吏に対する委任申立に其の権利の疏明を要せずとするの根拠と為すに足らざるを以て……」（名古屋地決昭九・七・二一新聞三七四・四四）。

しかし、この立場といえども、競売法上有価証券の売却については特別の規定がないため、その不備は民事訴訟法の規定を類推してこれを補わなければならないとする（鴻・前掲書、斎藤・前掲書）。ただ、民訴法五八一条と競売法一二条との関係について学説上争があり、一説は、相場のある株式については、相場以下の価額で売却はできないし（競売法一二Ⅱ）、これについてはいつたん競売期日を開いて相当の競買の申立がない場合に限り、執行吏はその日の相場以上の代価で任意売却ができ（競売法一二）、民訴法五八一条の認める如く直接に任意売却はできないとする（兼子・前掲論文七七二頁）。他の説は、競売法は不備で、有価証券についてはこれを対象として考えていなかつたものであるから、上場株については、競売法一二条を適用せず、有価証券についての規定である民訴法五八一条を直接に適用するのが正当であるとする（斎藤・前掲書四四頁）。前説は競売法一二条が、「取引所の相場ある物」について規定しているので、この中に上場株も含まれるか、あるいは少なくともこれにも類推適用されるべきであるから、同条は、上場株について、民訴五八一条よりも優先してまず適用されるべきであるとの考え方に立つているものと思われる（斎藤・前掲書四四頁参照）。また、競売法は民訴法の規定を多く準用しながら、五八一条、五八二条を準用しなかつたのは、前者については、競売法一二条がひろく「取引所ノ相場アル物」について規定しているから、準用の必要がなかつたのであり、後者に関しては、当然競売の委任中に含まれていると解されるから不用であつたのであるとの見解に立てば（梅・最近判例批評一三法学志林四九巻四頁）、むしろ前の考え方が正しいともいえる。しかし、実質的に考えて、上場有価証券の換価方法としては、民訴五八一条の方が、より合理的であると考えられるので、結論的には、これの直接適用を認める後説に賛成すべきものと思う。しかし、同じく取引所の相場のあるものでありながら、商品と有価証券との間に取扱いに差をつけなければならない実質的理由について、さらに考察されなければならないであろう。

113 (付)旧法下失権手続による株式の競売

旧法下（一五三）失権手続によつて失権せしめられた株式の競売に関し、初期の一下級審判決が競売法には株式の競売に関する規定がないとの理由で、会社による適当な方法での競売を認めたことがある【69】。

【69】「競売法ニハ動産ノ競売ニ関スル規定ハアレトモ無体物ナル株式ノ競売ニ関スル規定ナシ故ニ会社カ商一五三ニ依リ株式ノ競売ヲスルニハ会社自ラ適当ノ方法ニ由リ之ヲ競売スレハ可ナリ」（神戸地判明三六・三・六新聞一三一・二一）。

この判決に対しては、つとに梅博士の強い批判がなされた。すなわち、競売法なる法律は急速にできた法律であるため、用語の点などで行きとどいていない点のあること、また会社が勝手に売却するのは競売ではないから、競売法によつて競売できないとなれば、商法一五三条の如きは全く動かない条文となること、また、競売法が多く準用している民事訴訟法は明らかに有価証券を有体動産として扱つているとして、その五八一条、五八二条を引用し、ことに最後の点を解釈のよりどころとして、記名株式は、有価証券として、動産の競売に関する規定に従つて競売すべきものとされた（法学志林四九巻四頁）。そして、この考え方がその後の判例を支配した【70】【71】。

【70】「商法第百五十三条（現削除）第三項ニ譲渡人カ払込ヲ為ササルトキハ会社ハ株式ヲ競売スルコトヲ要スト規定シ此場合ニ単純ナル売却ヲ許ササル所以ハ売却ニ一定ノ方式ヲ履践セシメ以テ株式処分ノ公正ヲ保ツニ在ルコト明瞭ナリ然ルニ競売法ヲ除キテハ売却ノ方式ヲ定メタル法規ナク而シテ競売法ニハ動産不動産船舶ノ売却方式ヲ規定シ民法ノ規定ニ依レハ記名ノ株式ハ一種ノ指名債権ニシテ物ニアラス従テ動産不動産ニアラサルカ故ニ単ニ文義ニ従テ競売法ヲ解スルトキハ記名ノ株式ノ競売ニ関シテハ法規存セサルカ如シ果シテ然リトセハ商法第百五十三条ニ競売ヲ強要セルハ殆ント徒法ニ属ス可シ是レ豈ニ法律ノ本旨ナランヤ然レハ単ニ文義ニ拘泥シテ競売法ヲ解スルハ其当ヲ得タリト云フ可カラス民法第八十五条ニハ本法ニ於テ物トハ有体物ヲ謂フト規定シ同法ニ於ケル物ノ意義ハ之ヲ限定セリト雖モ敢テ他ノ法律ニ於ケル物ノ意義ヲ限定シタルニアラ

サルヲ以テ他ノ法律ニ於テ他ノ意義ニ使用スルハ毫モ妨クル所ナシ現ニ民事訴訟法第六編第二章第一節動産ニ対スル強制執行ノ規定中ニ債権ニ対スル強制執行ノ規定ヲ置キ債権ヲ以テ動産トセルコト明瞭ナリ而シテ競売法ハ民事訴訟法ト異ナリ民法発布後ノ法律ナルカ故ニ之ト用語ノ意義ヲ異ニスルハ些カ穏当ヲ欠クカ如シト雖モ用語ノ不穏当ナルノ故ヲ以テ立法ノ本旨ヲ没却ス可カラス又商法第二百八十六条（現五二四）ハ商人間ノ売買ニ於テ買主カ其目的物ヲ受取ルコトヲ拒ミ又ハ之ヲ受取ルコト能ハサルトキハ売主ハ其物ヲ供託シ又ハ相当ノ期間ヲ定メテ催告ヲ為シタル後之ヲ競売スルコトヲ得ト規定ス若シ記名ノ株式ハ競売法ノ動産中ニ包含セストセハ此場合ニ於テ記名ノ株式ハ競売法ニ依ラスシテ売却シ無記名ノ株式ハ之ヲ競売法ニ依テ売却セサル可カラサルノ不権衡ヲ来タス可シ故ニ当院ハ原院ト同シク競売法ニ所謂動産中ニハ記名ノ株式ヲモ包含シ商法第百五十三条第三項ニ依リ之ヲ売却スル場合ニハ競売法ニ依遵ス可キモノト解釈ス」（大判明三九・六・一四民録一二・九七一）。

【71】「然レトモ記名株式ハ競売法ノ所謂動産ニ包含スヘキモノニシテ商法第百五十三条第三項ニ従テ之ヲ競売セントスルトキハ競売法ノ規定ニ依ラサルヘカラサルコトハ本院判例ノ既ニ認ムル所ノ如シ而シテ商法第百五十三条第一項ニ依リ失権株主ノ株式ヲ会社ノ所有タラシムルモノハ会社ヲシテ其株式ニ該当スル株金ノ払込ヲ請求シ会社資本ノ充実ヲ期セシムルニ外ナラサルヲ以テ会社ハ其所有ニ属シタル株式ヲ処分シ株金ノ払込ヲ為サシムル手続ヲ履践セサルヘカラス而シテ其処分ハ競売法ノ規定ニ依ルコトヲ要シ之ニ依ラサル任意競売ノ如キハ全然無効ニシテ法律上何等ノ効力ヲ有スルモノニアラス従テ仮令其競売アリトスルモ競売ニ付シタル株式ハ競買人ニ移転スルノ理由ナキコトハ亦言ヲ俟タサル所ナリ」（大判明三九・一一・一五民録一二・一四六六）。

これの判旨を前提として、競売法五条但書の他所の意義について判示したものとして、昭和五年四月一二日の大審院判例がある（民集九巻三五一頁）。

最後に、失権株式の競売の場合に関して、執行吏は鑑定人の鑑定の範囲内においてのみ競売をなさなければならないものではないとの趣旨の判例をかかげておこう【72】。

【72】「株式競売ニ於テハ不動産ノ競売ニ於ケル如キ規定存セサルカ故ニ執達吏ハ必スシモ鑑定人ノ鑑定ノ範囲内ニ於テノミ競売ヲ為ササルヘカラサルコトナシ」（大判昭一六・二・二五新聞四六七三・九）。

七　株券に対する仮処分

寄託ないし担保に供された株券の返還請求権を保全するために仮処分が必要となる場合に、会社を債務者として株主名簿の名義書換を禁止する旨の仮処分がなされることがある。ところが、このような仮処分が許されるか、またこのような仮処分の効力について問題があり、これを否定する趣旨の一連の下級審判決がなされている。一つは、貸与株券の返還請求権の保全のため、債権者が、「債務者は右株券の裏書並びに株式の譲渡その他一切の処分行為をしてはならない。第三債務者たる株券発行会社は右株式に対し名義変更手続をしてはならない」との仮処分命令を求めたのを却下した【73】。

【73】「株式は株券なる有価証券に化体され、株券は有体動産としての執行方法に服することは民訴法五八一条ないし五八三条に規定されているところである。従つて株式には第三債務者となる者もないのであり、債権に準ずる処分禁止仮処分の命令を発することは民訴法上許されない（株式の性質について如何なる学説をとるも結論は異ならない）。債権者は、「債務者の占有する別紙目録記載の株券を執行吏をして保管せしめる」という趣旨の仮処分命令は欲しないと述べた。債権者の明かに拒否する以上裁判所は民訴法七五〇条一項に従つて右趣旨の処分を定めることもできないのである。債権者は債務者に対しては右に述べた範囲で株式の処分禁止を求める権利を有するが、株式発行会社に対しては、実体法上よりしても名義書換禁止を求める権利を有しない。株式発行会社は商法二〇五条の形式的要件の具備する限り記名株式の譲受人よりなされた株券並びに株主名簿の名義書換をなす義務がある。もし債権者の求めるような仮処分命令が株式発行会社に対し発せられて会社が

これを遵守すれば、善意で株式を取得した第三者は名義の書換を得て、株主権を行使することを妨げられる結果となる。債権者よりも善意取得者が保護される結果となることも株式の流通保護のため止むを得ないところである。この点よりしても株券の占有を奪う方法以外に株式の処分禁止仮処分の執行方法は考えることができない」（東京地決昭二九・一・六判タ三七・八一八、大阪株懇編最新株式会社判例総覧一一六事件）。

さらにその後、この問題に関する一連の判決が出されているので、次にこれを掲げておこう。事案の概要をのべると、AはBに貸与したD会社発行の株券の返還請求の訴を提起するとともに、昭和二九年三月二〇日、「B（被申請人）はA（申請人）名義のD会社株式一、六〇〇株につき売買、贈与、交換、質権設定その他一切の処分をしてはならない。D会社（被申請人）はA（申請人）名義の右株式につき名義変更の要求があつてもこれに応じてはならない」との仮処分命令を得、かつ、同年五月三一日、Aは勝訴判決を得た。ところが、その株券はBによつてCに譲渡され、現所持人CがD発行会社に対し名義書換を請求したところ、D発行会社は、前記仮処分命令の存在を理由に、名義書換を拒んだ。そこでCは、D会社に対しては名義書換請求の訴を、Aに対しては株主権確認の訴を、東京簡裁に提起した。ところが、右裁判所は、この訴は前記昭和二九年五月三一日判決の訴と重複起訴の関係にあるとしてこれを却下し、しかも傍論として、「上記仮処分決定においてD会社に対し一切の株式名義書換を禁止しているため、Cの本訴請求はこれに抵触して許されない」とのべた。これに対しCは控訴し、その控訴理由はいれられ、破棄差戻の判決があつた。左にかかげるのは右傍論に対する控訴審判旨である【74】。

【74】（原控訴審）「およそ、株式発行会社は特別の事情のない限り、商法二〇五条の要件をみたす株券所

持人から株主名簿の名義書換を請求すれば、これを拒否することができないのであつて、たとえ無権利者から譲り受けた所持人でも善意取得した場合には同様であるから、一切の名義書換を禁止する仮処分決定を発することが許されないことは明らかであり、仮にこれが発令された場合においても正当な権利者からされた名義書換請求には効力を及ぼさないものといわなければならない」（東京地判昭三〇・四・一八下級民集六・七四二）。

次いで、差戻第一審においては、Cの善意取得を認め、D会社に対する部分についても右会社の名義書換義務を認めた【75】。

【75】（差戻第一審）「この点（富士製鉄株式会社（D会社）の株券善意取得者野村（C）に対する名義書換義務――筆者注）につき、被告会社（富士鉄（D））は前示仮処分命令の存在を以て名義書換を拒む理由となし、原告（野村（C））は右仮処分命令中被告会社に関する部分は実質上無効であると主張するのであるが、仮りに被告会社のいうように有効であるとしても右被告会社に対する行為禁止命令の効果は絶対的でなく、該命令の目的たる株券につき権利を主張する善意の第三者たる原告に対しては、取引安全の見地からその効力を及ぼさないものと解すべきであるから、右仮処分命令の存在は本件名義書換の請求を拒否すべき理由とはならない。

被告会社は、仮に本件に於て原告請求通りの判決が確定したとしても本件仮処分命令と両立するから該判決は執行不能に帰すべく、右判決はその執行を阻止する右仮処分命令の存在を是認して為されるもの故、結局原告の本訴請求は訴の利益を欠くものであると言い、又原告は先ず被告（藤崎（A））に対し富士証券投資株式会社（B））に代位して本件仮処分命令の取消を求むべきであるのに、之を為さずして直接被告会社に対して本訴請求を為すのは失当である、と抗争するけれども、本件仮処分命令の効力の及ぶ範囲が前説示の通りである以上、本件原告の請求を認容する判決が為された場合右判決につき被告会社に対する執行不能のこともなく、又之が執行につき先づ本件仮処分命令の取消をなすべき要もないから前記被告会社の抗弁は採用し難い」（東京簡判昭三一・二・一一下級民集七・三二一）。

これに対し、D会社は控訴、さらに上告を行ったが、結局、Cの名義書換を拒みえないとされた【76】【77】。

【76】（差戻控訴審）「そもそも現行商法の下における記名株式の譲渡は、有価証券たる株券の裏書により又は株券及びこれに株主として表示せられた者の署名若しくは記名捺印ある譲渡証書の交付によつてなされ、当事者間においては右以外に何等の行為をも要せず、譲受人は実質上の株主となり、株式発行会社以外の第三者に対してもその株券の占有によつて株主たることを主張し得る。しかして譲受人は株主たる地位に基き株式発行会社に対し株式の名義書換請求権を取得する。しかし株式の名義書換は株主権行使の前提にすぎない。それは株式の譲渡移転とは直接関係のないものであり、譲受人が会社から総ての関係において株主として取扱われるがための条件、いい換えると株主が会社に対し株主たる資格を取得するがためのものである。裏書による場合以外の株式の移転について株式の名義書換をもつて株式の移転自体の第三者に対する対抗要件としていた昭和二五年改正前の商法二〇六条二項の規定は削除せられた。株式の名義書換は、最早いかなる意味においても株式の譲渡自体に関する要件ではない。従つて株式の譲受人から株券を呈示して名義書換を請求せられた場合、株式発行会社はその名義書換に応じなければならない義務があり、これを拒むことはできないのである。

以上の関係は株式の移転が善意取得による場合にあつても何等異るところがない。しかも、現行商法は旧商法二二九条二項の規定を削除して記名株式の善意取得の要件を緩和した。その結果、有価証券としての株券はその完全な姿を取得する反面、株券の財産としての安全が犠牲に供せられたが、これは必要止むを得ない犠牲として忍受しなければならない。また株式の名義書換請求権は、旧法における解釈とは異り株式の取得者のみが独りこれを有するものと解すべきである。しかる以上、右仮処分決定中控訴会社（富士鉄(D会社)）に対する部分は全く無意義であるから、訴訟上有効に存在していてもその内容上の効果の伴わない無効な決定であるといわなければならない。

これを仮処分決定自体の適否の点からみても、控訴会社は株主権の帰属を争う当事者ではないから被申請人適格を欠く。従つて控訴会社を被申請人とする右のごとき内容の仮処分決定は許されなかつたものである。(中略) 株式は有価証券たる株券に化体され、株券は有体動産としての執行に服することは訴訟法五八一条乃至五八三条に規定せられているところであるから、株式には第三債務者となる者がない。

従つて、株式については民訴七五〇条(三項)の規定を準用する余地もない。かくのごとく、株式の処分禁止を命ずる仮処分において、それと同時に株式発行会社たる控訴会社を被申請人として株式の名義書換を禁止する右のごとき仮処分は到底これを許し得ないものである。他の説によれば、この場合、ともかく一旦右のごとき内容の仮処分決定が発せられた以上、被申請会社たる控訴会社はそれに羈束せられる。しかし、株主たる第三者にはもとより右仮処分決定の効力は及ばないから、控訴会社は右処分決定に従うか、或いは、第三者の名義書換請求に従うか、それを選択する立場におかれると解するものもある。しかし、当裁判所はかかる見解を採らない。当裁判所は右のごとき内容の仮処分決定は無意義であり、たとえかような決定をなしても無効とするのである」(東京地判昭三一・八・二四 下級民集七・二二八一)。

【77】 (差戻上告審) 仮処分命令は、本来債権者と債務者との関係においてのみ効力を生じ、第三者に対してはなんの効力をも生じないものである。よつて、本件の場合でも、第三者を特定して仮処分債務者となし、その者の本件株式についての名義変更の請求を禁じているならば、上告人(富士鉄(D会社))はその者から本件株式について名義変更の請求を受けたときは(このような仮処分命令が許されるかどうかは別として)、これを拒否しなければならないことは、右仮処分命令の効力によつて当然であるといわなければならない。右仮処分命令の記載自体からみれば、上告人は一般第三者からの株式名義変更の申請を拒否しなければならないようにみえるが、仮処分命令は、右のように第三者に対してはなんの効力を有しないばかりではなく、原判決の判示しているように、現行商法は株式の自由な移転と、第三者の善意取得を強く認めているのであるから、本件株式を善意取得した第三者から上告人が名義書換の請求を受けた場合には、上告人がこれを拒むことは、第三者の権利を不当に害することになるから、これをできないと解するを相当とする。この範囲内では、上記仮処分命令は効力を生じないことになることは、原判決が判示し、また上告人の攻撃するとおりである。裁判がそ

の実質上の効力の生じない場合を認めることは、もとよりよいことではないが、特別の場合にはこれを認めるのもやむを得ないのである。たとえば、当事者適格のない者が当事者となつた確定判決は、それが取消変更されるまでもなく、その実質上の効力を生ずるに由ないもので、上記仮処分命令はこれと異るが、上記説明のとおりであるから、上記認定の範囲内では、その実質上の効力を生じないと解するのも、止むを得ないのである。もつとも仮処分命令に対しては、債務者からの異議申立が、その取消変更を求めるのが適法な方法であることは上告人主張のとおりであるが、第三者である被告人（野村(C)）には異議を申立てる権利がなく、むしろ上告人が異議を申立ててその取消を求むべきであつた。しかしながら、右のように取消変更がなされなかつた場合でも、上告人が右仮処分命令を理由にして名義変更を拒んだ場合に、損害賠償の責任を負わなければならないとすることは、上告人に対していかにも酷な結果となり、故意又は過失がないと解するを相当としてもそれが無効な場合であり、殊に判決によつて上告人に名義書換の義務があるかどうかがきまる訴訟では、上記仮処分命令が取消、変更されないとの一事で、被上告人の名義書換請求を拒めないと解するを相当とする。よつて、原判決の説明と多少異るところはあるが、結局においては、上記仮処分命令が実質上の効力を生じないとした原判決は相当で、これと見解を異にする上告理由は、独自の立場に立つて原判決を非難するに過ぎないから、採用することはできない」（東京高判昭三二・四・一九民集、一〇・一八一、大隅・民商法雑誌三七巻六号一六一頁、河村・ジュリスト一五八号四八頁、中野・判例評論九号一八頁、大橋・経済法律時報一六巻二号、伊東＝石川・財政経済弘報六二〇号）。

この問題は、記名株式の名義書換とも関係するところが大きく、本叢書中でも、おそらく、その項目のところで、さらに詳細に取扱われるであろうし、また、民訴法固有の難問題にふれるところも少なくなく、現に民訴法の専門学者によつて多くの論稿が発表されている（沢「会社にたいする株式名義書換禁止仮処分」判例タイムズ二五号一五頁、吉川「株式名義書換禁止仮処分」大阪株懇記念論文集、鴻「株式会社法と仮処分制度」商事法務研究二二六、二二七号、中村「株式の名義書換禁止仮処分の効力」同誌六一号その他前掲判批参照）。私にこれ以上のものを付け加える能力は全くない。したがつて、ここでは前掲の判例を理解するに必要な範囲内で、記名株券の仮処分はどのような形で許されるか、という点について、前記諸論稿に導かれつつ、説明するにとどめたい。

ところで、株券に関する仮処分としては二つの類型があるといわれる。一つは、係争物に関する仮処分（民訴七五五）に属するものであり、他は、仮の地位を定める仮処分（民訴七六〇）に属するものである。そして、当該株券の名義人である債権者（仮処分申請人）と株券を占有する債務者（仮処分被申請人）との間における株券の返還請求に関する紛争事件を本案訴訟として、この株券の引渡請求権の将来の強制執行を保全するためになされる仮処分は前者に属し、前掲判例【73】に現われているものはこの適例である。すなわちそこでは、債務者に対し株式の処分禁止を命じるとともに、会社を第三者として当該株式に関する名義書換禁止を命じている。これは債権その他第三債務者のある財産権（例えば電話加入権）の帰属や、これを目的とする権利（例えば譲渡契約履行請求権、質権）につき紛争があり、債務者を被告として本案訴訟が提起された場合において、これが執行保全のため、その債務者に対し取立禁止（電話加入権のときは処分禁止）を命じ、他方第三債務者（電話加入権のときは電話官署）に対し、その支払禁止（電話加入権のときは電話名義書換禁止）を命じうること（このことは学説判例によってすでに承認されている）にならってなされるものである。すなわち、株券引渡請求権の執行保全のため、債務者（株券占有者）に対しては処分禁止の仮処分命令を為し、その執行として会社を第三債務者として株式名義書換禁止を命じるものである。したがつて、債務者に対する処分禁止は仮処分命令の内容であり、会社に対する書換禁止はその執行命令にほかならないことになる（吉川・前掲論文二二一頁以下参照）。ところで、このような執行命令を出すことができるかということが問題であつて、前記東京地裁決定【73】は、「株式は株券なる有価証券に化体され、株券は有体動産としての執行方法に服することは民訴法五八一条ないし五八三条に規定されているところである。従つて株式には第三債務者となる者もないのであり、債権に準ずる処分禁止仮処分の命令を発することは民訴法上許されない」として、これを拒否している。学説はこの点については賛否こもごもである。あるいは、記名株式にあつても発行会社は、正確な意味では、債務者とはいえないが、ある程度には債務者と見得るから、株式は有体動産として民訴法五八一条ないし五八三条にのみ服すると考えるべきではないとする説（大橋・前掲論文、中村・前掲論文も同旨）、あるいは、わが民訴法が差押や処分禁止仮処分の執行方法として、占有の取得（有体動産の場合）、登記、登録（不動産またはこれに準ずる財産権の場合）もしくは第三債務者への支払禁止命令の送達（債権その他第三債務者ある財産権の場合）などの公示方法ないし対抗要件の方法をとつていることから考えて、株式に対する処分の執行方法として、会社を第三債務者としてこれに名義書換禁止を命じ得ることを認める説もある（沢・前掲論文）。しかし、これらの説に対しては、なるほど発行会社にはこれを債務者と見うる性質がないではないが、いま問題にしている仮処分は、会社に対する株主権行使を保全するためのものでなく、株券自体の引渡請求権の執行保全を目的とするものであつて、そのめざす目的が異なる。この点を混同して、株券の引渡請求権保全のためにも、債権を目的とする仮差押に準じた仮処分を発しうるとするのは誤りであるとの批判（吉川・前掲論文一二三頁）、あるいは、この場合問題になつているのはいわば「物としての株券」であるにもかかわらず、株式には会社と株式所有者との債権関係があるというような形式論理だけで、直ちに会社が株券についても第三債務者たる地位にあると考えるのは当を得ていない（鴻・前掲論文）などの批判がなされている。また、前述の沢説に対しても次のような批判がなされている。すなわちわが民訴法が、差押、仮差押、仮処分禁止処分（係争物に関する仮処分）など一連の処分制限的効力をもつ処分につき、その目的物の異なるに応じてそれぞれ異なつた執行方法を定め、しかもその方法はいずれも一種の公示的手段をとつている点で一致していることはまさにそのとおりである。しかし、このことから直ちに株式に対する処分禁止仮処分の執行方法は、会社に対する名義書換禁止でなければならない、と結論するのは論理が飛躍しすぎる。というのは、なるほど株主権の行使には株券の占有は不要ではあるが、株式を処分するには株券の占有が絶対に必要であるから、わが民訴法は、この点に着目して、株式に対する差押（本差押）を有体動産に対する差押方法（執行吏占有、なおこの点については本書一〇四頁参照）によらしめている（五八一条五八三条）。すなわち、民訴法はこの場合の公示手段は事物の性質上、株券の執行吏占有をもつて必要かつ十分であるとの正当な考え方の上に立つているのである。そうだとすれば、株式に対する仮差押やこれと機能を同じくする株式の処分禁止仮処分の執行方法につき、差押方法（執行吏占有）に関する右規定の準用されることは、民訴法第七四八条、第七五〇条一項、第七五六条によつて明白である、と（吉川・前掲論文一二四頁以下）。そして、結論として、株券引渡（または返還）請求権の執行保全のため、株券占有者に対する処分禁止仮処分（係争物に関する仮処分）の執行として会社を第三債務者として名義書換禁止を命ずることは許されないとする（吉川・前掲論文一三一頁、兼子・前掲論文七七四頁、鴻・前掲論文七頁）。

なお、この立場は、書換の禁止を特定の株券占有者からの書換請求に限るとしても、右の結論に差はないとする（吉川・前掲論文一三一頁）。あるいはまた、特定人からの名義書換請求禁止の仮処分はおよそしてはならないとは思わないが、これを出しても無意味であるとする（鴻・前掲論文七頁）。たしかに、株券の占有さえ現実に執行吏の手に移つてしまえば、名義書換は不可能となるから、それ以上に名義書換の禁止を命ずることは無意味であろう。しかし、執行吏が株券の占有を現実に取得することは非常に困難なことが少くない。したがつて、債務者（株券の現占有者）が、執行吏による占有取得をのがれて、現実に自己に名義を書換え、株主権を行使するということも考えられる。そして当該債務者は株券に対する処分禁止命令によつて、株券に対する処分権を奪われているが、ここにいわゆる処分が株券の譲渡、これに対する担保権の設定等狭い意味での処分のみならず株主権の行使をも含むとすれば、会社に対する名義書換禁止の命令は、当該債務者がこのような株主権行使権限を制限されていることを、会社に対して知らせる点で意味がないではない。これに対し、右の処分の中には、株主権行使は含まれておらないということになれば、会社に対する名義書換禁止は無意味であるばかりでなく、これをしてはならないということになろう。会社に対し、特定人からする名義書換請求の受理を禁ずる仮処分命令をも違法とする立場は、この点をどのように解しているのであろうか。あるいは、株券の引渡請求権が被保全権利となつている場合には、まさに物としての株券の引渡請求権そのものを保全すべきであつて、株主権の行使まで制限する必要はない。ただ株券の占有を奪う結果として、実際上、名義書換が不可能となり、ひいては株主権の行使ができなくなるにすぎない。理論的には、債務者は決して株主権の行使まで制限されるものではない。なぜならば、普通の債権にあつては、権利行使はその債権の消滅を来すが、株式にあつては、そのようなおそれはないから、あくまでも、物としての株券そのものの返還請求権の執行を保全するに必要にして充分な範囲内で保全処分をなすべきであるという考え方もありうると思う。しかし、前述の立場は、どうもそのようには考えていないようである。なぜならば、右の立場は、特定的な名義書換を禁ずる仮処分は違法であるとしながら、「かように違法性の故に、会社に対する仮処分ないしその執行処分が当然無効となるわけがない。従つて、その取消がない限りは、名義書換禁止の効力を生じる」から、特定の株券占有者から名義書換の要求があつても、会社はこれを拒否しなければならないとしているからである（吉川・前掲論文一三九頁、なお【77】の判例も、この種仮処分が許されるかどうかは別として、その効力のあることを認めている）。このことは、少くとも特定の株券占有者は株券に対する狭義の処分権のみならず、その表彰する株主権の行使権限をも制限される、と考えていることを示すものといわねばならない。もしそういうように考えているのだとすれば、この場合問題になつているのは、「株券自体の引渡請求権の執行保全」である、「物としての株券」が問題になつているにすぎない、と断言してよいものかどうか、やはり株式には債権的な面もあるのではないか、という疑問も感じられないではない。

なお、何人からの請求があつたにしろ、会社は名義書換をしてはならないとの趣旨の仮処分命令は、株券の善意取得制度の確立した現行法のもとでは許されないと解すべきである（鴻・前掲論文七頁以下、吉川・前掲論文一三一頁）。

次に、仮の地位を定める仮処分たる性格をもつものに、株式発行会社を単独または共同の被申請人として、これに対してなされる名義書換禁止の仮処分命令がある。前掲判例【76】に現われているものがその例である。なぜならば、ここでは【75】の場合のように、債務者に対する処分禁止仮処分命令の執行方法として、会社を第三者債務者としてこれに名義書換の禁止を命じているのではないからである。しかも、この事案では、名義書換の請求者を特定せずに一般的にこれを禁止する形式をとっている。このような仮処分命令が許されるかということについては、前掲の下級審判例は、これは許されないものとしている。学説中には、許されるとするものもあるが、判旨に賛成する立場が有力である。（吉川・前掲論文一二六頁以下、兼子・前掲論文七七四頁、鴻・前掲論文六六頁）。その理由の第一は、株券の返還請求が問題になる場合に、株券の帰属を争う株券占有者が被告としての適格をもつことはもちろんであるが、会社自身は特別の事情のない限り、債権者の株主権を争う必要がないから、会社に対してはこれが確認の利益がなく、したがつて会社は被告たる適格をもたない。そして本案訴訟の被告たる適格のない者は、その仮処分訴訟における被申請人適格をもたない。故に会社を債務者とした名義書換禁止の仮処分は出せないということである（吉川・前掲論文一二七頁以下、兼子・前掲論文七七四頁、【76】参照）。理由の第二は、特に一般的な名義書換禁止の仮処分に関するものである。すなわち、たとえ債権者と、会社との間に株主権確認の判決があつても、こうして確認された株主権には、一般的に善意の第三者からなされる書換の禁止請求権は内在する余地を全く欠くにもかかわらず、仮処分命令として、会社に対し、一般的な名義書換禁止を命ずることは、およそ仮処分命令の内容は本案判決で命じうるもの以上のものであつてはならない、との原則に反するということである（吉川・前掲論文一二九頁以下、【77】参照）。

八　株券の偽造、変造

一　意　義

株券の偽造、変造について定めた規定は現行の民商法の中には存在しない。これに対して刑法一六二条は、「会社ノ株券」を掲げてその偽造または変造について定めている。そこでまず、刑法上株券の偽造変造とはいかなるものを指すかを判例学説についてみてみよう。

刑法上、株券の偽造、すなわち有価証券の偽造とは、他人名義の有価証券を、権限なしに作成することであるといわれている（牧野・刑法各論上一九七頁、木村・刑法各論二七二頁、安平・刑法各論一七二、一四八頁、福田・刑法各論一一七頁）。ただ、株券の偽造が成立するためには、他人すなわち会社が実在していることを要するかどうかが問題となつた判例がある。すなわち、分割払込が行われていた当時、第一回払込が僅少なるにもかかわらず、創立総会を終了したとしても、その会社の設立は無効であるから、結局その会社は実在せず、実在しない会社の作成名義を偽つても、有価証券偽造罪どころか、全然犯罪は成立しないとした判例がある【78】。

【78】「株式会社ヲ設立スルニ当リ株式募集ヲ為ス場合ニ於テ第一回株式払込僅少ニシテ其金額カ会社ノ事業ヲ遂行スルニ足ラサルトキハ第一回払込全部ノ欠缺ニ準シ会社ハ成立スルコトナク其設立ノ無効ト為ルコト当院従来ノ判例ノ認ムル所ニシテ論旨所掲ノ判例ニ於テ株式会社カ形式的ニ存在スルモノトナスニハ会社ノ設立登記ノ外事業ニ着手シ得ヘキ状態ニ在ルコトヲ必要トスルモ亦叙上ノ趣旨ニ外ナラス原判決ヲ査スルニ本件会社ハ其株式ノ募集ヲ終ハリ創立総会ヲ終結シタルモ其株式第一回払込金五千円中現実払込アリタルハ僅ニ三百七十五円ニ過キス資本団体タル株式会社ニ在リテ第一回払込斯クノ如ク欠缺スルニ於テハ到底会社ノ事業ヲ遂行スルニ足ラス即チ事業ニ着手シ得ヘキ状態ニアラサルモノト認メ会社ハ成立スルニ至ラスト判定シタルモノト解スルヲ相当トス然ラハ本件会社ハ実在セサルモノナレハ其名義ヲ冒用シ株券ヲ作成スルモ犯罪ヲ構成セサルコト論ヲ俟タス原判決カ所論被告ノ行為ハ何等犯罪ヲ構成セスト判定シタルハ正当ナリ」（大判大九・一〇・二一新聞一七七四・二三）。

しかし、その後、同様の事案について、一連の判例は、そのような株券の発行を犯罪とはみるが、有価証券偽造罪でなく、虚偽記入罪として取扱つている【79】【80】【81】。

【79】「判示会社ノ設立ハ縦令実質上無効ナルコト所論ノ如シトスルモ形式上設立登記ノ存在スル以上其ノ取締役トシテ登記セラレタル者ノ作成シタル株券ハ刑法ノ適用ニ於テハ猶有価証券タルコトヲ失ハス且又株券ニ記載スヘキ要件タルト否トヲ問ハス苟モ株券ニ真実ニ反スル記載ヲ為シタル以上ハ刑法第百六十二条第二項ノ罪ヲ構成スルモノト解スルヲ相当トス故ニ所論判示被告人ノ所為ニ対シ刑法第百六十二条第二項第百六十三条ヲ適用処断シタル原判決ハ正当ナリ」（大判大一四・九・二五刑集四・五四七）。

【80】「株式会社ノ設立カ実質無効ナルトキト雖モ其ノ後取締役トシテ登記セラレタル者ノ作成シタル株券ハ刑法ニ所謂有価証券ト称スルニ妨ナキコトハ当院判例ノ示ストコロナリ故ニ所論株式会社ハ其ノ株式ニ付全然第一回払込ナカリシ為実質上無効ナリトスルモ野中親顕ハ同会社ノ取締役トシテ登記セラレアルコトハ記録上明白ナルカ故ニ原判示第四ノ如ク同人名義ニテ作成シタル所論株券ハ刑法ニ所謂有価証券ニシテ従テ被告人ニ於テ判示第四ノ如キ虚偽ノ記入ヲ之ニ為シタルトキハ有価証券虚偽記入罪ヲ構成スルコト論ヲ俟タス故ニ原判決カ被告人ノ右行為ヲ刑法第百六十二条ヲ以テ処断シタルハ正当ナリ」（大判昭一一・一・二八新聞三九七五・九）。

【81】「被告人等ハ昭和十二年五月三十日ニ会社設立行為ヲ為ササリシニ拘ラス其ノ行為ヲ為シタルカ如キ虚偽ノ事項ヲ具シテ会社設立登記ノ申請ヲ為シ登記簿原本ニ其ノ旨ノ記載ヲ為サシメタルモノナルカ故ニ其ノ会社設立カ無効ナルコト明カナレトモ其ノ設立登記カ存スル以上会社ハ形式上存在スルモノニシテ其ノ登記セラレタル取締役ノ発行シタル該会社ノ株券ハ刑法第百六十二条第一項ニ所謂会社ノ株券タルモノトス而シテ被告人ハ登記セラレタル右会社ノ取締役タル資格ニ於テ発行シタル会社株券ニ真実ニ反シテ資本金一株ノ金額株金払込及株主名ヲ記入シタル上恰モ真実右ノ条件ヲ具備セル会社ノ株券ナルカ如クニ装ヒ他人ニ行使シ其ノ一部ハ之ヲ担保トシテ金借ヲ申入相手方ヲシテ真実右ノ条件ヲ具備セル会社ノ株券ナリト誤信セシメ貸借名義ノ下ニ金円ヲ交付セシメタルモノナレハ其ノ行使ノ所為ハ虚偽記入有価証券行使ノ罪ニ該リ其ノ金円騙取ノ行為ハ詐欺ノ罪ニ該ルヤ洵ニ明カナリ論旨ハ会社カ形式上存在スルコトヲ挙ケテ右各罪ノ成立ヲ疑フト雖モ会社カ形式上存在スルコトハ敢テ其ノ実質ヲ具備セリトイフニ非サルヤ勿論ナレハ其ノ具備セサル実質ヲ恰モ具備セルカ如ク株券ニ記載シテ行使スルニ於テハ其ノ虚偽記入有価証券行使ノ罪ヲ構成スルヤ疑ノ余地ナク右ヲ以テ

他人ヲ欺キ因テ金円ヲ交付セシムルニ於テハ詐欺ノ罪ヲ構成スルコト亦言ヲ須ヒス」（大判昭一九・一二・二　二刑集二三・三一六）。

その事案をみてみると、【79】は資本金額五〇万円のうち、払込金はわずかに三万五千九百円にすぎなかつたにもかかわらず、払込全部完了の旨虚偽の記載をした登記申請書により、設立登記をなし、株券を作成し、これを売却処分して、その売得金をもつて資金にあてる目的で、会社取締役名義で株券を作成し、これに虚偽の株主名義を記載し、資本金額五百万円、一株の金額二十円払込済の記入をなして、これを処分し、金円の交付を受けたというものである。【80】は、設立登記、機関選任の登記はあるが、第一回払込が全然ないにもかかわらず、払込済の旨記載した株券を発行した場合に関する。【80】は、全然設立行為を行つていないにもかかわらず、これを行つたかの如く虚偽の事項を記載した会社設立登記申請によつて設立登記をなした会社の株券発行の場合に関する。以上の各場合につき、判例が、どうして、株券の偽造とみずに、虚偽記入としたのか。この点については各判例は直接には判示していない。むしろ、これらの判旨の中心は、前掲の【78】の判例が、設立無効の会社は実在しないのであるから、このような会社の株券発行行為は全然犯罪を構成しないとした論理をくつがえすにあつたと思われる。そして、設立無効の会社でも、「形式上設立登記ノ存在スル以上」はとか【79】、「同会社ノ取締役トシテ登記セラレアル」者が発行した株券はとか【80】、「設立登記カ存スル以上会社ハ形式上存在スルモノニシテ」【81】とかの理由によつて、結局、これらの会社の実在することを認めた。そしてこれらの会社もその実在を認める以上、その代表機関が株券を発行することはその権限内の行為であり、そして作成権限ある者が作成したのであるからその株券は偽造でなく、単に真実に反する記載をしたことになり、したがつて虚偽記入罪になる、という論理かと推測する。

これに対し社長より会社の経理部門一切を委されて、経営の衝に当つていた副社長が、予備株券に架空の株主氏名を記入し、社長名義の株券を発行した有名な事件について、最近の下級審判決はこれを株券の偽造としてとらえている【82】。

【82】「有価証券の虚偽記入とは、他人名義たると自己名義たるとを問わず有価証券について裏書引受、保証等の附随的な証券行為に関して真実に反する記載をすることであり、有価証券の偽造とは、有価証券の発行、振出のような基本的な証券行為について、世人をして一見真正な有価証券であると誤信させるに足りる程度の外観を作出する行為を意味するものと解するのが相当である。そこで本件は新しい株券を作成したものであつて既存の右会社の株券の記載事項に変更を加えるとか、裏書その他の虚偽の事項を書き加えた場合ではないことが証拠上明らかであるから、本件被告人宇都宮、被告人鈴木前記小川等の所為は前記のように有価証券偽造罪を構成するものであつて、その虚偽記入罪を構成する場合ではない」(東京地判昭三四・三・一九商事法務研究一三六号)。

この判決は、その理由を、「有価証券の発行、振出のような基本的な証券行為について、世人をして一見真正な有価証券であると誤信させるに足りる程度の外観を作出する行為を意味する」との偽造の概念定義に求めている。そして行為者の発行権限の有無を問題にしていない。しかし、前述の偽造の通説的概念定義よりすれば、この点が問題になるだろう。本件において、株券を不法に作成した副社長が果して株券作成の権限をもつていたかどうか、必ずしも明瞭でない。もしこの権限を有していなかつたとすれば、その行為が株券偽造に該当することはいうまでもない。このことは、偽造についての通説的概念定義たる、「偽造とは他人名義の有価証券を権限なくして作成することをいう」(一二八頁参照)

との点よりしても明らかである。しかし、もしこの者が発行の権限をもつているとすれば、右の偽造の通説的概念定義、および前述の一連の判例【79】【80】【81】の立場よりすれば、むしろ虚偽記入罪になるかと思われる。これに対し、右下級審判例【82】は、作成者の発行権限の有無を問題にせず、一見真正な株券であると誤信させるような外観をもつて証券を発行することが、株券の偽造である、というのであるから、この論理からすれば、一般的に株券を発行する権限があるかどうかを問わず、商法上無効な株券を発行する行為は、常に偽造であるとする趣旨ではないかとも思える。

以上のように、一般的に株券発行権限を有している者が商法上無効な株券を発行した場合の行為の性質についての刑事判例に関しては問題があるように思うが、全然権限のない第三者が、他の会社の株券を発行する行為が偽造に当ることは明らかである。そして、これに関連して、株券上の発行会社名義が、実在の会社名と正確には合致していなくとも、一般人をして、実在の特定会社の株券と誤信せしめるに足りる形式をそなえておれば、偽造たるに充分であるとの判例がある【83】。

【83】「原判決の認定にかかる被告人の作成した株券に、会社の商号が大映映画株式会社と印刷されていること、及び当時大映映画株式会社なる商号の会社が実在しなかつたことは、いずれも所論のとおりであるけれども、しかし原判決援用の関係証拠に徴するときは、被告人の作成した原判示株券は、一般人をして、当時実在した大映株式会社の株券と誤信せしめるに足りる形式を具有したものであることが認められるのであるから、これを作成した所為が有価証券偽造偽罪を構成することは明らかであるといわなければならない。しかして、所論は被告人が、右は偽造罪を構成するかどうか疑わしいと解しているのに、原判決がこれに対する判断を与えないのは、事実誤認若しくは理由不備の違法がある旨主張するのであるが、しかし被告人が、原審公判にお

いて、所論のような弁解をしていることは、記録上これを発見しがたいばかりではなく、仮りに、そのような弁解ないし主張が原審においてあつたとしても、原判決においては、被告人の前示株券作成の所為が明らかに有価証券偽造罪を構成するものと認定判示しているのであるから、右のような弁解ないし主張に対する判断を与えたものとみるべきであつて、これをもつて、所論のような事実の誤認若しくは理由不備の違法があるものとすることはできない」（東京高判昭三一・二一・一四刑集九・九〇）。

しかし、他社の株券を全然権限のない者が発行する場合でも、記名株券につき、番号および株主氏名の記載のない場合は、まだ有価証券偽造罪は成立しないとした判例がある【84】。

【84】「原判決認定事実ニ依レハ被告ハ行使ノ目的ヲ以テ株券ヲ偽造センコトヲ決意シ筑摩電気鉄道株式会社ノ旧株券十株券一枚（旧株券ハ筑摩鉄道株式会社名義）ヲ情ヲ知ラサル印刷業者株式会社五庄堂支配人某ニ示シテ之ト同様ナル株券ノ印刷ヲ依頼シ以テ筑摩鉄道株式会社社長上条某ノ記名及印章ヲ始メトシテ筑摩鉄道株式会社拾株券金五百円会社商号筑摩鉄道株式会社資本総額一百万円一株金額五十円設立登記大正九年六月七日右記名者ハ当会社定款ヲ遵守シ尚会社株式十株ノ権利ヲ有スルコトヲ証スル為玆ニ本株券ヲ交付スルモノナリ第……号株主……殿ト記載アル株券一百株ヲ印刷セシメ尚右上条某作成名義ノ委任状ヲ偽造シ共謀者哲ヲシテ之ヲ右株式会社五庄堂ニ交付セシメ同堂ヲシテ之ヲ東京税務監督局ニ提出セシメテ該株券ニ税印ヲ押捺セシメ以テ該株券一百枚ノ偽造ヲ完成シタリト云フニ在リテ判示株券ハ記名式ナルニモ拘ラス未タ番号及株主氏名ノ記載ナキコト明ナレハ記名株券ノ要件ノ欠如セルハ勿論其ノ外観ヨリスルモ記名株券ノ形体ヲ具備セス単ニ其ノ用紙タルニ止マルコト顕然ナリ此ノ如キモノハ通常人ヲシテ真正ナル既発行ノ株券ナリト信セシムルニ足ラサルノミナラス権利義務又ハ事実ノ存在ヲ証明スル文書タルノ効用ヲモ有スルモノニ非ス故ニ原判示事実ニ従ヘハ被告ハ行使ノ目的ヲ以テ筑摩鉄道株式会社ノ株券ヲ偽造セントシ情ヲ知ラサル印刷業者ヲ利用シ同会社上条信ノ署名印影並同会社ノ印影ヲ偽造シテ先ツ同会社ノ株券用紙ヲ作成シタルニ過キサルニ原判決ハ之ヲ目シテ株券ノ偽造ヲ完成シタリト為シ之ヲ有価証券偽造罪ニ問擬シタルハ擬律錯誤ノ不法アルモノニシテ論旨ハ

理由アリ」（大判大一五・五・八刑集五・二七一）。

有価証券偽造の未遂を罰する規定のないわが現行刑法（刑一六二）のもとでは、同罪の未遂罪は成立せず、本件の場合には、印章偽造罪（刑一六七）が成立するにとどまる（福田・前掲書一二二頁）。

変造については特にこれを取扱った判例はないが、刑法では、有価証券一般について、変造とは、権限なくして、真正に成立した有価証券の内容につき、文書の同一性を害しない程度に変更を加えることとされている（牧野・前掲書二〇五頁、安平・一五四頁、福田・前掲書一一七頁）。

以上のように、刑法では、株券の偽造、虚偽記入および変造の区別について問題がある。ことに偽造と虚偽記入は、法定刑は同じであっても、別の条項に規定されている（刑一六二Ⅰ Ⅱ参照）ため、その区別が議論の対象となる。しかし、商法の立場では、手形についていわれるように偽造と変造の二つの概念さえたてればよいであろうと思う。そして、これに関してある学説は、「株券の偽造とは権限なき者が株券を不適法に発行すること」という定義を下している（高橋・前掲書七〇頁）。

株券の偽造という概念をどのように定義するかは、結局、言葉の問題であって、それほどやかましく議論する必要はないと思うが、本書で取扱った判例の中で、どのようなものが偽造とされているであろうか、次にこれを掲げておこう。

(1)　全然権限のない者が他社の株券を印刷発行する場合【83】【84】

(2)　会社の使用人が勝手に会社の株券用紙（いわゆる予備株券）を利用して、有効な株券の外観をととのえて発行する場合【89】【90】【92】【93】

(3)　会社の使用人が、会社によつていつたん回収されて無効となつた株券を利用する場合【87】【91】【92】【93】

(4)　代表取締役が株式が成立していないにもかかわらず株券を発行する場合【82】【85】（【82】の場合には副社長がこの権限を有していたかどうか不明）。

(5)　特定の株主のための株券を作成したが、交付前に会社の使用人がそれを不法に持ち出して他に流通せしめた場合【94】等である。

これらの事案のうち、(1)から(3)までと(4)(5)との間には、株券の無効という点では同じであつても（ただし【94】については未交付株券は無効であるとの前提にたつている。なお一頁参照）、行為の性質に差があることが感じられる。なぜならば(1)から(3)までは、明らかに権限のない者が株券を作成した。それはまさに作成名義（○○会社代表取締役）の冒用である。これに対し、(4)(5)は代表取締役が作成したことには間違いない。それにもかかわらず株券が無効になるのは、(4)では株券の非設権証券性の本質に基づき、(5)では株券の効力発生時期について交付契約説的立場をとることによつている。こういうものまで、株券の偽造の観念の中にいれるべきかどうか。およそ商法上無効な株券はすべてこれを偽造株券とよぶというのならば、言葉の一つの使い方としてそれもよいであろう。しかし、(4)はむしろ無権代理の一種ともいうべきであり、(5)は交付契約欠缺の手形の場合と同時に、偽造ではなく交付欠缺の株券としてその効力を考えるべきではないかと思う。

さらに、【78】から【81】までの判例において、刑法上虚偽記入とされている場合は、商法上これをどのように考えるべきであろうか。このうち、設立登記はなされているが、全然設立行為を行つていない場合【81】は、設立無効というよりも、むしろ会社の不存在というべき場合であろうから、偽造ということができる。これに対し、払込が全然ないかまたは僅少である場合は、現行法のもとでは、設立無効とならないとする説もあるし、たとえ設立無効となるとしても、設立無効の判決が確定するまでは、会社は有効に存在するのであるから、発行された株券は完全に有効というべきである。

以上に対し、株券の変造とは、すでに発行された真正な株券の記載事項に権限なく変更を加えることである（高橋・前掲書七一頁）。偽造、変造株券については、この他にも種々問題はあるが、これらについては他の研究を参照されたい（ジュリスト選書株券九一頁以下、高鳥「株主氏名の改ざんと株式の善意取得」、高橋・前掲書六八頁以下）。

二　株券の偽造と会社または監督者の損害賠償責任

株券の偽造をした者自身が不法行為による損害賠償責任を負うことはいうまでもない。問題は、偽造をなした者が会社の取締役あるいは被用者である場合において、会社が責任を負うかということである（一般的な問題としては乾「使用者の責任」本叢書民法(4)参照）。

まず、銀行の頭取兼取締役がその地位を利用して、会社の仮株券を印刷せしめ、自らほしいままに頭取印等を押捺して偽造株券を発行した場合について、それは取締役が職務執行に関して不法行為をなしたものということができるから、商法二六一条三項同七八条二項の準用する民法四四条一項によって、会社が、被害者に対し損害賠償責任を負うことを認めた控訴院判例がある【85】。

【85】「株式会社ノ株券ハ特別ノ場合ニアラサル限リ其性質上当然輾転流通スヘキモノナルヲ以テ偽造株券ノ発行アリタル場合ハ独リ其発行ヲ受ケタル者ノミナラス之ヲ取得セル第三者モ亦均シク其偽造株券ニ依リ損

害ヲ被ルヘキハ勿論ナリト謂フヘク右第三取得者ニ生シタル損害ト其偽造発行行為トノ間ニ損害賠償ノ責任ノ基礎タル因果関係アルコト株券ノ前記流通性ニ照ラシ当然ナリト謂フヘシ而シテ株式会社ノ取締役カ其会社ノ株券ヲ調製発行スルハ其当然ノ職務執行ニ属スルカ故ニ取締役カ偽造株券ヲ発行シタル場合ニハ其職務執行ニ関シテ不法行為ヲ為シタルモノト云フヘク之レニ依リテ他人ニ損害ヲ加ヘタル以上其職務ノ執行ニ付キ他人ニ損害ヲ加ヘタルモノト云フヲ妨ケナキモノト解セサルヘカラス従テ斯ル場合ニハ株式会社ハ商法第百七十条第二項第六十二条第二項ニヨリ株式会社ニ準用セラルル民法第四十四条第一項ノ規定ニ依リ取締役カ偽造発行シタル株券ニヨリ損害ヲ蒙リタル第三者ニ対シ其直接ニ発行ヲ受ケタルモノナルト否トヲ問ハス其損害ヲ賠償スヘキ責任アリ本件ニ於テ其当時被控訴銀行ノ取締役タリシ甲カ被控訴銀行ノ株券ヲ偽造発行シ控訴人ハ其偽造タルコトヲ知ラスシテ白紙委任状付ニテ之レヲ貸金ノ担保トシテ第三者ヨリ受取リタルモ全ク担保トシテ其ノ効ナキニ至リシ為メ損害ヲ蒙リタルモノナルヲ以テ前段説明スル如ク其ノ損害ハ右甲ノ偽造株券発行ナル不法行為ニ基因シ被控訴銀行ニ対シテハ所謂取締役カ其ノ職務ヲ行フニ付キ他人ニ加ヘタル損害ト云フニ該当スヘキヲ以テ被控訴他行ハ控訴人ニ対シ之カ賠償ノ責任アルモノト謂ハサルヘカラス」（東京控判大四・七・一〇新聞一〇四四・二三、東京地判大三・一〇・六新聞九九四・二四は同一事件の第一審）。

この判決当時施行の商法によれば、株式会社の取締役は各自会社を代表する権限を有していたから、取締役は、民法四四条にいう「理事其ノ他ノ代理人」に該当することはいうまでもない。しかし、問題は、取締役による偽造株券の発行が、民法四四条にいわゆる「職務ヲ行フニ付キ」なる要件をみたすかどうかということである。右判例は、「株式会社ノ取締役カ会社ノ株券ヲ調製発行スルハ其当然ノ職務執行ニ属スルカ故ニ取締役カ偽造株券ヲ発行シタル場合ニハ其職務執行ニ関シテ不法行為ヲ為シタルモノト云フヘク」として、これを肯定した。しかし、この控訴院判決は、この点につき当時支配的であつた判例の立場とは異なるものであつたと思われる。なぜなれば、被用者による偽造株券の発行に基く会社もしく代理監督者の責任が問題になつた場合につき、判例は、民法七一五条にいわゆる「事業ノ執行ニ付キ」なる要件を、非常に厳格に解していたからである。すなわち、「株式ニ関スル一切ノ事務ノ取扱」を委ねられ、「社印ヲ押捺シアル予備株券ヲ保管シ且之ヲ完成スル為ニ押捺スヘキ取締役会長印及割印ヲ重役ヨリ託セラレ」ていた事務員が、「正当ナル業務ノ執行トシテ株券ヲ作成発行スル権限ヲ有シ且何時ニテモ之ヲ為シ得ヘキ状態ニ在」つたのを利用して、株券を偽造した。この場合における会社の使用者としての責任および取締役の代理監督者としての責任について、判例は、これを否定した。その理由は、株式会社の株券の発行は、会社設立の際に株主に対してなされる場合の外は、増資の場合または株主の請求によつて現在の株式に対し再発行される場合でなければ、行われるものではない。したがつて、これ以外に発行することは、事業の執行と関係ないということにあつた【86】。

【86】「今本件ニ於テ原判決ノ確定シタル事実ハ上告人ハ田辺貞吉、松波春次、石川昌次、玉英深ノ先代玉雪農及松方正熊ハ斗六精糖株式会社取締役ニシテ益田皐ナル者ヲ事務員ニ使用シ同会社東京出張所主任トシテ株式ニ関スル一切ノ事務ヲ取扱ハシメ同人ハ社印ヲ押捺シアル予備株券ヲ保管シ且之ヲ完成スル為メニ押捺スヘキ取締役会長印及割印ヲ重役ヨリ託セラレ居リタル処其保管ニ係ル右予備株券ニ保管ニ係ル会長印割印ヲ押捺シテ同会社ノ株券ヲ偽造シ皐ノ共犯者ニ於テ之ヲ行使シ又ハ其行使ノ後更ニ輾転シタル為メ被上告人ハ担保トシテ之ヲ受取リ因テ金員ノ貸与手形割引等ノ取引ヲ為シ損害ヲ受ケタリト云フニ在リ因テ右事実ニ基キ上告人等ノ賠償責任ノ有無ヲ審按スルニ凡ソ株式会社ノ株券ナルモノハ会社設立当時之ヲ株主ニ交付シタル以上其

後会社ニ於テ増資ヲ為スカ為メ新ニ之ヲ発行スルカ又ハ株主ノ請求ニ依リ現在ノ株式ニ対シ再発行ヲ為ス場合ノ外ハ之ヲ作成発行スヘキモノニアラサルヲ以テ本件斗六製糖株式会社ノ株券モ亦上叙ノ場合以外ニ之ヲ発行スヘキモノニアラス然ラハ其以外ニ之ヲ発行スルコトハ東洋製糖株式会社以外ノ上告人等カ右斗六製糖株式会社ノ取締役トシテ益田皐ヲ使用シテ為サシメタル事業ノ執行ニアラサルコト洵ニ明ナレハ益田皐等カ自己ノ利益ノ為メ其地位ヲ濫用シテ擅ニ本件ノ株券ヲ偽造行使シタルハ同会社ノ取締役タリシ上告人等ノ命令又ハ委任シタル事業ノ執行ニアラス又其事業ノ執行ト相関聯セルモノニアラスシテ全然其業ノ執行ト関係ナキ別箇ノ行為ナリ故ニ原判決ノ判示スルカ如ク益田皐ハ正当ナル業務ノ執行トシテ株券ヲ作成発行スル権限ヲ有シ且何時ニテモ之ヲ為シ得ヘキ状態ニ在リテ居常其準備ヲ為シ居ルニ際シ外形上真正ナル業務執行ト異ナルコトナキ行動ノ下ニ各偽造行使ノ行為ヲ遂行シタリトスルモ之ヲ使用者ノ事業ノ執行ト看做シ取締役タリシ上告人等ヲシテ之ニヨリテ生シタル損害ヲ賠償セシムヘキモノニアラス従テ斗六製糖株式会社ヲ合併シ其義務ヲ継承シタル上告人東洋製糖株式会社モ亦其損害ヲ賠償スヘキ責任ナキモノナリ」(大判大五・七・二九刑録二二・一二四〇)。

右の判決の理論は、それ以前より、すでに、判例が民法七一五条に関してとつていた解釈を偽造株券の発行の場合に適用した結果にすぎないと思われる。すなわち、被用者の不法行為について会社が責任を負うのは「現ニ職務又ハ事業ノ執行トシテ為スヘキコトノ存在セル場合ニ」限るとする理論である(大判大五・七・二九刑録二二・一二四〇、大判大元一〇・一六民録一八・八七〇、大判大七・三・二七刑録二四・二四一、大判大七・六・二二民録二四・一三三三、大判大一〇・六・七刑録二七・五〇六、大判大一一・五・一一評論一一民二〇八)。要するに、この理論は被用者が、その地位を濫用して私利をはかつた場合に、使用者の具体的な命令または委任がなければ、使用者は責任を負わないとの立場に立つものである。なお、この立場に立つ下級審判例としては次のようなものがある。すなわち、鉄道による旅客貨物の運送を目的とする会社の株式係主任が無効株券を利用して株券を偽造した場合【87】、銀行の支配人にして、銀行印頭取印等を保管し正当にこれを使用し得る権限のある者が、同印を利用して株券を偽造した場合【88】【89】（後者は同じ偽造事件で被害者が異なる）につき、会社の使用者責任を否定している。

【87】「本件被控訴会社ノ被用者タル山室退蔵カ株式係主任ノ事務担任中同会社ノ無効株券社長印等ヲ使用シテ株券ヲ偽造シ之ヲ担保トシテ控訴銀行ニ差入レ当座預金貸越契約ヲ取結ヒ又ハ手形ノ割引ヲ受ケ因テ小切手ノ支払又ハ現金ノ交付ヲ受ケタルコトハ前段認定ノ如クナルモ被控訴会社ノ定款ニ依レハ同会社ノ目的ハ鉄道ニ依リ旅客貨物ノ運輸ノ業ヲ営ムニ在ルコト明カナルヲ以テ其目的タル営業及ヒ之ニ附随スヘキ事項ヲ以テ同会社ノ事業ト認ムヘク而シテ会社株券ヲ担保トシテ他ノ銀行ト当座預金貸越契約ヲ締結シ又ハ手形ノ割引ヲ受クルカ如キハ被控訴会社ノ目的タル営業ニ非サルコト疑ナク又其営業ニ附随スヘキ事項ニモ非スト認ムヘキヲ以テ右山室退蔵カ控訴銀行トノ間ニ為シタル当座預金貸越契約及ヒ手形割引ノ行為ハ被控訴会社ノ事業執行ニ関スルモノニ非スト認定セサル可カラス左レハ控訴銀行カ被控訴会社ノ被用者タル山室退蔵ノ如上ノ行為ニ因リ損害ヲ蒙リ同会社取締役ニ事業監督上ノ過失アリタレハトテ其損害賠償ノ責ヲ被控訴会社ニ帰セシムルコトヲ得サルヤ論ヲ俟タス尤モ同会社ニ於ケル株券ノ発行書換等ハ会社ノ業務ニ外ナラスシテ其事務ノ担任ニ属スルコト明カナリト雖モ甲カ無効株券ヲ用ヒテ株券ヲ偽造シタルハ単ニ株券ノ発行書換等ノ事務ヲ処理スルニ際シ其機会ヲ利用シテ之ヲ犯シタルニ過キスシテ無効株券ヲ用ヒテ株券ヲ偽造スルカ如キハ固ヨリ会社ノ業務執行ニ関スル行為ニ非サルカ故ニ右会社ノ業務タル株券ニ関スル事務担任中本件担保株券ヲ偽造シタルノ故ヲ以テ会社ノ業務執行ニ付キ為シタルモノト謂フヲ得サルハ勿論ナリ」（広島控判明四四ネ五二号、新聞七六六・二三）。

【88】「被告庄次カ被告株式会社竜崎銀行ニ支配人トシテ在職中原告主張ノ如キ株券ヲ偽造シタルコト（印章ノ盗用ナリヤ否ヤハ之ヲ措キ）並ニ之ヲ担保トシテ原告ヨリ合計金二万四千五百円ヲ約束手形ノ割引名義ヲ以テ騙取シ原告カ右手形金ニ付キ更ニ其支払ヲ受ケ居ラサルコトハ被告庄次ノ自白ニ依リ明白ナルヲ以テ原告ハ被告庄次ノ不法行為ニ因リ同額ノ損害ヲ蒙リタル者ト謂フ可ク同人ニ於テ之ヲ賠償スヘキ義務アルコト最早一点ノ疑フ可キナシ然レトモ被告庄次ノ右株券偽造行為ハ同被告ニ於テ銀行印頭取印等ヲ保管シ正当ニ之ヲ使

用シ得ル権限アリ且ツ同印ヲ使用シテ之ヲ為シタルモノトスルモ被告銀行ノ事業ノ執行又ハ之ト関聯シタル行為ト為シ難ク被告銀行ノ命令又ハ委任シタル事業執行ノ範囲外ニ存スルヲ以テ被告庄次ニ於テ為メニ原告ニ損害ヲ加フルトコロアルモ被告銀行之ヲ関知スル限リニ非ス」（東京地判大五・一二・六新聞一二二八・二三）。

【89】「原告人ハ進ンテ右石山庄次ノ偽造行為ハ其使用者タル前記竜崎銀行ノ事業執行行為ニ属スト為シ従テ使用者タル右銀行及ヒ之ニ代リ事業監督ノ任ニ当レル被告人諸岡良佐ハ民法第七百十五条ニ依リ石山庄次ノ加ヘタル右損害ヲ賠償スル責アリト論スルヲ以テ考フルニ凡ソ使用者カ其被用者ノ他人ニ加ヘタル損害ニ付キ責ニ任スルハ被用者ノ右損害ヲ惹起シタル挙動カ使用者ノ事業ノ執行行為トシテ命令セラレ又ハ委任セラレタルトコロト表裏一体ヲ成シ之ト分離スヘカラサル関係ニ立ツモノナルヲ要シ被用者カ使用者ノ事業ノ執行トシテ何等命令セラレ委任セラレタルコトナキニ拘ラス単ニ自己ノ利益ノ為メ其地位ヲ利用シテ為シタル行為ニヨリ他人ニ損害ヲ加ヘタルカ如キハ仮令其外形ニ於テ使用者ノ事業ノ執行ト異ナルナシトスルモ之ヲ以テ其事業ノ執行ニ付キ損害ヲ加ヘタルモノト為スヲ得ス今之ヲ本訴ニ見ルニ石山庄次ハ前記偽造行為ヲ為ス当時前記竜崎銀行ヨリ其事業トシテ前記定期預金証書並ニ株券作成ハ勿論之ト一体ヲ為スカ如キ行為ヲモ命セラレテ在ラサリシ事実ハ前記証人諸岡良佐ニ対スル予審調書第一回公判始末書ニヨリ窺知シ得ヘキカ故ニ同人カ為シタル右定期予金証書及株券ノ偽造行為ハ右銀行カ同人ヲ使用シテ為サシメントシタル事業ト全然連絡ヲ絶シタル行為ナリト謂フヘク仮令同人カ右証書株券作成ノ正当ナル必要アル場合ニ右頭取ノ代表名義ヲ代理シテ署名スルノ権限ヲ附与セラレ在リシトスルモ何等右断定ニ影響ヲ及ホササルナリ果シテ然ラハ株式会社竜崎銀行ハ石山庄次ノ右ノ行為ニヨリ原告人ノ蒙リタル損害ニツキ責ニ任セサルモノナリ」（東京地判大六・三・九新聞一二六六・二六）。

しかし、このように、使用者の具体的な命令または委任があつたかどうかという主観的事情に重点をおくと、被用者の不法行為はすべて事業の範囲外ということになつて、民法七一五条はその対象を失うという不当なことになる（加藤・不法行為一八一頁）。また、被用者が地位を濫用した場合に、判例が具体的になすべきことがあるか否かで区別していたのは、相手方が十分注意すれば、それがわかると考えたためかとも思われるが（加藤・前掲書一八一頁）、株券の如く流通するものにあつては、第三者取得者が右の点について知ることは実際上不可能なことが少くない。

以上の判例は、大正一五年一〇月一三日の聯合部判決によつて変更されるに至つた。すなわち、株式会社の庶務課長として、株券発行の事務を担当し、株券用紙および社長印その他の印章類を保管していた甲が、これらを社外に持出して同社の優先株式一株五十円十株券二枚を偽造し、これを大阪米穀取引所員乙に証拠金代用として、交付して乙を偽罔し、定期米取引の委託を為した。ところが、その取引は損失に帰し、甲の無資力と相まつて、乙に一千五百六十円の損失を生じた。そこで、乙が、会社および取締役に対しそれぞれ使用者責任ならびに代理監督者責任を追求したのに対し、原審は、それまでの判例の立場を踏襲して「本件ノ如ク本来株券ヲ発行スヘキ場合ニ非サルニ拘ラス被用者カ其ノ地位ヲ濫用シ株券ヲ偽造シ因テ以テ他人ニ損害ヲ被ラシメタル場合ハ之ニ属セサルコト勿論ナリ」としてこれをしりぞけた。これに対し、大審院は、聯合部判決をもつて次のような理由により、従来のその立場を変更した【90】。

【90】「原判決ノ確定シタル事実ニ依レハ被上告会社ノ被用者甲ハ同会社ノ庶務課長トシテ同会社ノ株券発行等ノ事務ニ従事中自己ノ金融ヲ図ルカ為擅ニ其ノ保管ニ係ル同会社ノ株券用紙及印章社長印ヲ会社外ニ搬出使用シ且株主ノ氏名ヲ冒書シ其ノ印章ヲ偽造押捺シテ同会社優先株式一株五十円十株券二枚ヲ偽造シ之ヲ大阪米穀取引所員タル上告人ニ証拠金代用トシテ交付行使シ上告人ヲ偽罔シ定期米取引ノ委託ヲ為シタルトコロ其ノ取引ノ結果損失ニ帰シ甲ノ無資力ト相俟チテ上告人ニ一千五百六十円ノ損失ヲ生セシムルニ至リタルモノナ

リト云フニ在リ之ニ対シ原判決ハ甲ノ使用者タル被上告会社及之ニ代リテ其ノ事業ヲ監督スル被上告人乙カ民法第七百十五条ノ規定ニ依リ損害賠償ノ責ニ任スルニハ被用者甲カ其ノ事業ノ執行ニ付上告人ニ加ヘタル損害即其ノ事業ノ範囲ニ属スル行為又ハ之ト関聯シテ一体ヲ為シ不可分ノ関係ニアル行為ヨリ生シタル損害ニ限ルヘキコト同条ノ解釈上疑ヲ容レサル所ニシテ本件ノ如ク本来株券ヲ発行スヘキ場合ニ非サルニ拘ラス被用者カ其ノ地位ヲ濫用シ株券ヲ偽造シ因テ以テ他人ニ損害ヲ被ラシメタル場合ハ之ニ属セサルコト勿論ナリトシテ被上告人等ニ対スル上告人ノ本訴請求ヲ排斥シタルモノナリ而シテ当院従来ノ判例ニ依レハ民法第七百十五条ニ所謂被用者カ使用者ノ事業ノ執行ニ付第三者ニ加ヘタル損害トハ被用者ノ行為カ使用者ノ事業ノ範囲ニ属シ而モ其ノ事業ノ執行トシテ為スヘキ事項ノ現存セル場合ニ被用者カ其ノ執行ヲ為スニ因リテ生シタル損害ヲ指摘シ従テ被用者カ使用者ノ事業ノ執行トシテ何等為スヘキコト現存セサルニ拘ラス自己ノ目的ノ為メ其ノ地位ヲ濫用シテ擅ニ為シタル行為ニ因リ第三者ニ損害ヲ加ヘタルトキハ縦令其ノ行為カ外形上使用者ノ事業執行ト異ル所ナシトスルモ使用者ヲシテ賠償ノ責ニ任セシムヘキニ非スト為シタルモノニシテ原院モ亦右ノ当院従来ノ判例ノ趣旨ヲ踏襲シテ判決ヲ為シタルモノニ外ナラス然レトモ本件ノ如ク被用者カ使用者タル株式会社ノ庶務課長トシテ株券発行ノ事務ヲ担当シ且株券用紙及印顆ヲ保管シ何時ニテモ自由ニ株券発行ノ事務ヲ処理スヘキ地位ニ置カレタル場合ニ在リテハ縦令其ノ者カ地位ヲ濫用シ株券ヲ発行シタリトスルモ要スルニ不当ニ事業ヲ執行シタルモノニ外ナラスシテ其ノ事業ノ執行ニ関スル行為タルコトヲ失ハサルモノナレハ民法第七百十五条ニ所謂「事業ノ執行ニ付」ナル文詞ハ叙上説明ノ如ク之ヲ広義ニ解釈スルヲ至当トスヘク当院従来ノ判例ノ如ク厳格ナル制限的解釈ヲ採リ使用者ノ事業ノ執行トシテ具体的ニ為スヘキ事項ノ現存セサル場合ニ於ケル被用者ノ行為ニ付テハ総テ使用者ニ於テ全然責任ナシト為スカ如キハ同条立法ノ精神ニ鑑ミ且一般取引ノ通念ニ照シ狭隘ニ失スルモノト謂ハサルヘカラス蓋シ本件ノ如キ場合ニ於テハ被上告会社及之ニ代リテ其ノ事業ヲ監督スル被上告人乙ハ其ノ庶務課長タル者ノ選任ヲ厳ニスルハ勿論絶エス其ノ行動ヲ監視シ其ノ者カ職務上ノ地位ヲ濫用シテ不正ニ株券ヲ発行シ他人ニ損害ヲ及ホスノ危険ヲ予防スルノ責ニ任スヘキハ当然ニシテ被上告人等カ注意ヲ怠リ為ニ被用者ヲシテ其ノ地位ヲ濫用シテ株券ヲ発行スルコトヲ得セシメ他人ヲシテ損害ヲ被ラシメタ

リトセハ被上告人等ハ其ノ責ヲ辞スルコトヲ得サルハ論ヲ俟タサレハナリ」（大判大一五・一〇・一三民刑聯民集五・七九六田中(耕)・判民大正一五年度一〇七事件）。

この判決によつて、「職務ヲ行フニ付キ」（民四四Ⅰ）、「事業ノ執行ニ付キ」（民七一五Ⅰ）なる要件を充たすかどうかの判定の基準として、「使用者ノ事業ノ執行トシテ具体的ニ為スヘキ事項ノ現存セル」か否かという主観的事情は捨てられて、もつぱら行為の外形によつて決せられることになつた。

この判決以後被用者の株券偽造行為によつて、会社が責任を負わしめられる事案が多くなつた。例えば、株券の保管、名義書換の事務を取扱つている者が、廃棄すべき無効株券を持出し、有効な株券であるように欺いて他に売却し、しかも所持人の請求によつて名義書換を為したために、これを有効の株券と誤信した者が被つた損害につき、会社に責任を認めた判例がある【91】。

【91】「分割其他ノ事由ニ因リ既ニ無効ニ帰シタル株券カ会社ニ存スル場合ニ於テハ会社ハ其ノ株券カ外部ニ持出サレ有効ノ株券ト混同誤認セラルルコトヲ防止スヘク又縦令其ノ株券カ会社外ニ持出サレタル後ト雖其ノ名義書換ノ請求アリタルカ如キ場合ニハ其ノ無効株券タルコトヲ告ケ請求ヲ拒絶スヘキモノニシテ若シ会社ノ被用者ニシテ其ノ局ニ当ル者ノ故意又ハ過失ニ因リ斯ル株券カ会社外ニ持出サレ若ハ其ノ所持人ノ請求ニ因テ名義ノ書換ヲ為シタル為之ヲ有効ノ株券ト誤信シテ取引ヲ為シ因テ損害ヲ被リタル者アルトキハ会社ハ民法第七百十五条第一項但書ノ事実ヲ証明セサル限リ其ノ損害ヲ賠償スル責ニ任スヘキモノトス」（大判昭四・七・一〇新聞三〇七七・一二）。

また、会社の庶務課員であつて、主として株式に関する事務に従事し、庶務課長の監督のもとに、株式名義書換、株主に対する通知事務を取扱つていた者が、同課員にして、主として文書に関する一般事務に従事し、時には株式に関する事務に従事したこともないではない同僚と共謀して、課長より廃棄を命ぜられながら、同人等が執務にとりまぎれて廃棄せずにおいた株券用紙（株券番号および株主の氏名の外は全部印刷したもの）

を、金庫より取出して、株券を偽造した。この事案につき原審は、「会社ノ株券ニ関スル事務ヲ管掌シタルモ素ヨリ自己ノ裁量ニ依リ自由ニ株券発行ノ事務ヲ処理シ得ベキ地位ニ置カレタルモノニ非ザル」以上、その者のなした株券偽造は、業務執行行為でないとした。これに対し、大審院は次の理由でもつて破毀差戻の判決をした【92】。

【92】「原審ハ証拠ニ依リ訴外円光格並ニ石沢栄三郎ハ被上告会社ノ庶務課員トシテ勤務中同会社ノ株券用紙（番号及株主ノ氏名ヲ除キ会社印及社長印ヲ始メ其ノ余全部ヲ印刷シアルモノ）数十枚ヲ同会社階下ノ金庫中ヨリ取出シ之ニ株券番号及株主ノ氏名ヲ記入シテ以テ被上告会社ノ株券数十通ヲ偽造シ尚右偽造株券ニ使用シアル株主名義ノ名義書換委任状並ニ被上告会社名義ノ株主印鑑証明書ヲ偽造シ此レ等ヲ訴外丙ニ交付シ同人ハ之ヲ訴外宮城商業銀行（後ニ上告銀行ト合併ス）ニ担保トシテ差入レ金一万二千七百二十九円九十銭ヲ借入レタルカ同人ハ無資力ナリシ為同銀行ハ右貸付額ト同額ノ損害ヲ被リタル事実ヲ認メタルモ右両名カ如何ニシテ前記ノ株券用紙等ヲ金庫内ヨリ取出シタルカニ付テハ毫モ判示スルトコロ無シ「竊ニ取出シ」トアル文字ハ兎角ノ意味ヲ有セス而モ金庫ノ鍵ハ庶務課長及経理課長カ共同ニテ保管ノ責ニ任シ居リ他ノ庶務課員ハ庶務課長ノ許可ナクシテ自由ニ前掲株券用紙等ヲ取出シ得ヘキニ非サリシト云フカ故ニ同人等ハ鎖鑰ヲ壊シ若クハ其ノ他ノ方法ニ依リテ庫内ニ潜入シタリヤト云フニ斯ル事実ハ毫モ其ノ認定セサルトコロナルト共ニ当該株券用紙ハ之ヲ「廃棄スヘキ旨ヲ命シタルニ同人等ハ執務ニ取紛レ廃棄処分ヲ延引シ居リタルモノ」ナリト云フニ在ルヲ以テ株券ハ実ニ其ノ廃棄ト云フ事務執行ノ為ニ同人等ノ手中ニ入リタルモノノ如ク斯クテ偽造ノ機会モ亦茲ニ生セシモノノ如ク爾リ夫レ偽造ノ行為自体固ヨリ会社ノ命スルトコロニ非ス又社員トシテノ事務執行ニモ非サルハ論ナシト雖唯此一事未タ以テ会社ヲシテ無責任タラシムルニ足ラサルハ上来説示スルトコロノ如シ然ラハ即チ原審認定ノ事実ノ下ニ於テハ当該株券ハ如何ニシテ甲乙等ノ手中ニ入ルニ至リシヤト云フ事実ハ第一ニ之ヲ審ニスルノ必要アリ此事情ニシテ判明スルニ及ヒテ茲ニ始メテ同人等ノ偽造行為ハ果シテ会社事業ノ執行ニ

付テナリシヤ将タ又事業執行ニ際シテナリシヤト云フ問題ハ有意義ニ之ヲ討究スルヲ得ルモノトス」（大判昭八・四・一八民集一二・八二三、戒能・判民昭和八年度六一事件）。

そして、差戻審においては、民法七一五条による会社の責任が認められたが、会社側はさらに上告して右使用人等の行為は、「業務ノ執行ニ際シ」なされたものということはできても、「業務ノ執行ニ付キ」なされたものということはできないとして、上告した。しかしこの上告は次の理由をもつて棄却された【93】。

【93】「案スルニ訴外月光格、同石沢栄三郎カ本件株券偽造ノ目的ヲ以テ上告会社ノ金庫ヨリ株券用紙ヲ取出シタル当時月光ハ上告会社東京支店ノ庶務係長兼本店庶務課ニ於ケル比較的上席ノ係員トシテ庶務課長監督ノ下ニ株式ノ分合発行其他ノ事務ニ従事シ居リ石沢ハ本店庶務課員トシテ同課管掌ニ係ル株式事務ヲ主トシテ取扱ヒ大正六年中上告会社ニ於テ増資ヲ為スニ際シ従来数種トナリ居リタル株券ヲ整理シ新株券ヲ発行スルニ付テハ殆専任係員トシテ右事務ニ従事シ其後ニ於テモ事実上ノ株式係トシテ株式事務ヲ取扱ヒ居リタルコト偽造ニ使用セラレタル株券用紙ハ当時既ニ之ニ株券番号及株主氏名ヲ記入スルノミニテ直ニ正規ノ株券トナリ得ル程度ニ社印並社長印等其株券トナリ得ル程度ニ社印並社長印等其株券トシテノ要件全部印刷セラレ居リ訴外石原ニ於テ其廃棄ヲ庶務課長ヨリ命セラレ乍ラ之ヲ廃棄セスシテ金庫内ニ入レ置キタルモノ（即職務上同人ノ占有ニ帰シタルモノ）ナルコト及其ノ金庫ノ鍵ハ職制上庶務課長ニ於テ保管スヘキ筈ナルモ実際ニ於テハ石原カ出勤中ハ常ニ同人之ヲ預リ居リ従テ金庫内ノ株券ハ何時ニテモ同人ノ自由ニ為シ得ヘキ事実上ノ状態ニアリタルコトハ孰レモ原審ノ確定シタル処ナリトス而シテ所論当院民刑聯合部ノ判例（大正十三年（オ）第三七二号）ハ株券作成ノ職務ヲ有スル者ハ会社ノ真正ノ株券用紙会社印等自由ニ使用シ得ヘキ地位ニアルカ故ニ株券ノ偽造頗容易ニシテ従テ其機会モ多カルヘクシカモ其偽造ニ係ル株券ハ用紙社印等総テ真正ノモノナルカ故ニ何人モ其ノ真偽ヲ判別シ難クカカル偽造カ頻繁ニ行ハルルニ於テハ其社会的危険真ニ恐ルヘキモノアリ普通一

般人カ用紙社印万端新ニ偽造スル場合ト同日ニ論スヘカラス故ニ職務上右ノ如キ地位ニアル者ノ株券偽造ニ付テハ会社ヲシテ其責ニ任セシムルコトトシ以テ一方被害者ヲ保護スルト同時ニ他方会社ノ厳重ナル監督ヲ促スヲ要シ然ラサル限リ民法第七百十五条立法ノ趣旨ハ到底之ヲ満足セシムルニ由ナシトノ趣旨ニ出テタルニ外ナラス此趣旨ヨリ見ル時ハ訴外石沢栄三郎ハ仮令会社ノ職制上ハ自由裁量ヲ以テ株券ノ作成ヲ為ス権限ヲ有セサリシトスルモ前記原審認定ノ如ク事実上株式係トシテ専株式ニ関スル事務ヲ取扱ヒ庶務課長ノ命ヲ受ケテ株券ノ作成廃棄ヲ為シ居リタルモノニシテシカモ本件偽造ノ用ニ供セラレタル株券用紙ハ職務上同人ノ占有ニ帰シ事実上何時ニテモ同人ノ自由ニ為シ得ヘキ状態ニアリタルモノナル以上之ヲ職制上ノ有権限者ト区別スヘキ理由存スルコトナシサレハ原審カ詳細ニ右ノ如キ事実ヲ認定シタル上民法第七百十五条ヲ適用シタルハ前記当院判例ノ趣旨ニ従ヒタルモノニテ相当ナリト云フヘクカカル場合ニ会社ニ責ヲ負ハシムルモ之カ為所論ノ如ク国家産業ノ発達ニ恐ルヘキ悪影響ヲ及ホスヘシトハ考ヘ難シ」（大判昭一一・一二・一一新聞四〇八八・一四）。

三　株券の真否照会と会社の責任

株券の真否について発行会社の株式課に問い合わせがあつた場合に、株式係が故意また過失によつて、不実の答をなし、その結果株券取得者が損害を被つた場合に、会社が使用者責任を負担するか。この問題を取扱つた判例がある【94】【95】。事実の概要は次のごとくである。A（被控訴人、被上告人）はBの仲介をもつてCより手形の割引を求められ、その担保として、甲会社（控訴会社、上告会社）の株券百十株の提供を受けた。そこで、AはBに依頼して、甲会社に右株券の真否ならびに添付の委任状の名義人の印章が会社に届出のものと符合しているかどうかを確めしめた。これに対し、同会社の株式係Dは、調査の上、いずれも真正のものである旨を告げた。Aはこの回答に信頼して、手形の割引依頼に応じたところが、これらの株券はすべて偽造のものであつた。すなわち、右株券中、E名義のものは同会社において増資の結果引替のため同人に交付すべき分として作成したが、未交付の間に、前記株式係Dが職務上これを保管していることを利用して、同僚Fと共謀の上、E名義の委任状を偽造して添付し、すでに発行された有効の株券のごとくに装つて他人に交付したものであり、F名義のものは、控訴会社においてGに対する株券引替の際同人より返還を受けすでにその効力を失つた株券であつて、同じくDが保管中にFと共謀して、勝手に甲会社社長印を用いてF名義に書替え、これにFの委任状を添付して他人に交付したものであつた。このような無効株券を有効な株券と誤信して担保にとつたことによつて損害を被つたAは、「真否等に付問合はせありたる場合に之が調査応答を為すことは株式係の職務の一部なり」として、会社の使用者としての損害賠償責任を追求した。株式係による株券偽造を請求原因とせず、真否問合せに対する故意による不実の返答を請求原因とした。原審は、次の理由をもつて、Aの請求を認めた。

【94】「株式会社ノ株式ヲ担保其他ノ目的トシテ取引ヲ為サントスルニ際シ現ニ会社ニ対シ株式ノ名義書換ヲ要求スルニ非サルモ取引当事者ニ於テ先ツ株券ノ真否並ニ其名義書換ニ要スル添付ノ委任状ニ於ケル名義人ノ印章カ会社ニ届出ノモノト符号スルヤ否ヤヲ其株式会社ニ付キテ確ムル場合ニ会社ノ株式係ニ於テ其求メニ応シ之ヲ調査シテ其結果ヲ告クルコトハ汎ク実際上行ハルル慣例ナルコトヲ知ルヘク只同鑑定人（大阪銀行集会所書記長有岡豊治――河本注）ハ是単ニ株式係カ一己ノ資格ニ於テスル好意上ノ取扱ニ過キサルカ如ク供述スレトモ株券ノ真否如何ヲ其株式会社ニ就キテ確ムルハ之ニ依リテ取引上過誤ナキヲ期セントスル為メナルコト論ヲ俟タサルノミナラス会社ノ側ヨリスルモ自己ノ株式ノ流通カ確実円満ニ行ハルルコトハ固ヨリ其企図スル所ニシテ其真否ヲ知ラントスルモノノ為メニ相当ノ便宜ヲ与フルコトノ実際上其必要ニ応スル所以ナルニ依テ之ヲ観レハ右ノ場合ニ於ケル株式係ノ為ス調査応答ヲ以テ其一己ノ資格ニ於テスル取扱ニ過キサルモノトハ

解シカタク寧ロ却テ斯ル取扱ハ株式会社カ業務ノ範囲トシテ慣例上従来認メ来レル所ニ属シ、株式係カ其執行ニ関スル一ノ補助機関トシテ使用者タル会社ノ為メニ這般応答ヲ取扱フニ外ナラサルモノト認ムルヲ相当トシ……」(大阪控判大八・一二・一八新聞一六四四・一五)。

これに対し、甲会社は、株式会社がその株式流通が確実円滑なることをのぞむのはもちろんであるが、株券および委任状の真否いかんの問題は全然取引当事者の信用問題であつて必ずしも会社の関与を要するものでなく、ことに株式会社は多数の株式を発行しているのであるから、株式譲受人や質権取得者のために一々株券および委任状の真否を調査応答するの責に任ずるのは、事務上非常な煩雑を来すのみならず、もし識別を誤つた場合には、多大の損害賠償の責を負うおそれあるが故に、一般の株式会社は名義書換の請求を受けた場合に限り、法定の要件としてその取扱をなすにとどめ、名義書換を求めるのでなくて、単に株券および委任状の真否のみの問合をなすものに対し調査応答することは欲しないところである。したがつてこのような場合には、株式係が調査応答する手続もすこぶる簡単無造作であつて、何等の書面をも徴せず、取引の内容をも告知せしめず、また質問者の氏名をも通告せしめず、単に株券と委任状を呈示せしめて真否の調査をするだけであるから、これをもつて会社が重大な責任のもとになす行為と考えることはできない。原審判示は事実上の根拠と証拠を有しない独断的見解であつて、これでは、株式係のなす調査応答が一個人の資格において好意的にするものか、あるいは会社の為に任務の執行としてなされるものかの争点を決する理由として不備である、として上告した。大審院は上告をいれて次の理由をもつて原判決を破毀差戻した【95】。

【95】「原院ハ株式会社ノ株券係ナル者カ株券ノ真偽並ニ之ニ添附ノ名義書替委任状ニ於ケル名義人ノ印章ノ会社ニ届出ノモノニ符合スルヤ否ヤヲ知ラントスル者ノ求メニ応シテ之カ調査報告ヲ為スハ実際上ノ慣例ナルコトヲ認メ株券係カ如上調査報告ノ求メニ応スルハ会社ノ事業ヲ執行スルモノト為シタリ而シテ其之ヲ以テ会社ノ事業ナリト認メタル所以ハ要スルニ自己ノ株式ノ流通カ確実円滑ニ行ハルルコトハ固ヨリ会社ニ於テモ期図スル所ニシテ株券ノ真否ヲ知ラントスル者ノ為メニ相当ノ便宜ヲ与フルコトハ実際ノ必要ニ応スル所以ナルヨリ観レハ会社ハ斯ル調査ノ求メニ応スルコトヲ以テ其義務ニ属スルモノナリト認メ株券係ヲシテ取扱ハシメ来レルモノト認ムルヲ相当トスト云フニ在ルモノノ如シ然レトモ株券ノ真偽ヲ知ラントスル者ノ求メニ応シテ之ヲ知ラシムルハ株券ノ流通ヲ確実円滑ナラシムル所以ナランモ其利便ハ主トシテ之ヲ求ムル者ニ存スレハ会社カ株券ノ流通ノ確実円滑ナルヲ自己ノ利便トスルカ為メニ責任ヲ以テ其求メニ応スルモノト為スハ首肯シ難キ所ナレハ之ヲ以テ会社カ義務トシテ行フ所ノ事業ナリト為スハ合理的根拠ヲ欠クノ独断タルヲ免レス従テ株券係カ係ル調査報告ノ求メニ応シ来レルヲ会社ノ事業ノ執行トシテ取扱フモノト為スノ見解ハ謬レルモノト謂フ可シ」（大判大九・六・二五民録二六・九二九、竹田・法学論叢八巻一号）。

原審は、株式会社が株券取得者よりの求めに応じてその真偽を調査応答するのは、会社の業務の範囲に属し、株式係は補助機関としてこの事務を取扱うのであるとしたのに対し大審院は、「会社カ株券ノ流通ノ確実円滑ナルヲ自己ノ利便トスルカ為メニ責任ヲ以テ其求メニ応スルモノト為スハ首肯シ難キ所ナレハ之ヲ以テ会社カ義務トシテ行フ所ノ事業ナリト為スハ合理的根拠ヲ欠ク」とした。しかし、原審も、なにも、会社が「義務トシテ」行う事業であるとはいつていないのである。そして、会社の事業は、これを義務として行うものでなければその事業ではないというわけのものではない。好意的にしろ会社として調査を引受けた以上、それは会社の事業である。ただ、具体的の場合において、会社が調査を引受けたのか、それとも、株式係個人がその調査を引受けたにすぎないのかという事実認定の問題が残る。しかし、この点についても、一般の求めに応じて、執務時間中会社の事務室で、調査応答をなすのを株式係個人の行為とみるのは極めて奇怪であるとの批判は、恐らく正当であろう(竹田・前掲判批)。このようにみれば、会社が株券の調査を引受けて、株式係をして、これを担当せしめる場合は、会社と調査依頼者との間に準委任契約(民六五六)が締結されたことになる。したがつて、株式係が、「委任ノ本旨ニ従ヒ善良ナル管理者ノ注意ヲ以テ」(民六四四)、調査応答をしなかつた場合には、それによつて生じた損害を、会社は、債務不履行による責任としててん補しなければならない。さらに、本件の如く、株式係が故意に不実の返答をした場合には、民法七一五条による使用者責任をも負担することになるであろう(請求権競合を認める場合には)。

九　株券の没収

収賄の目的たる株券の没収は、紙片たる株券自体を対象としているのでなく、株主権を表彰したものとしての株券であるとの判例がある【96】。

【96】「控訴人は、原審判決で没収されたのは紙片である株券自体にすぎなくて、株主権は没収されたものでないと主張するから、この点について判断する。

控訴人が日野原から賄賂として収受したのは、たんなる紙片としての株券ではなく、利益配当請求権、残余財産請求権及び場合によつては与えられる新株引受権等を包含している株主権といわれる株式であることはもちろんである。経済関係罰則の整備に関する法律四条の精神は、控訴人が賄賂として収受した利益を控訴人に保有させることなく、すべてこれを国家に没収させる趣旨であつて、それは刑法一九条による没収と全く同じ趣旨である。没収は、被告人が賄賂として収受したものそのものの権利を被告人から奪うことがその目的であるから、できる限りそのもの自体を没収すべきである。没収の対象となるのは本来有体物であることは控訴人主張のとおりであり、株券は控訴人主張のように、いわゆる相対的有価証券ではあるが、株券が発行された場合には株主権は株券に化体されていて、株券の授受によつて株主である権利が移転するものであつて、有体物と同様に物理的に管理可能な性質を有するのであるから、被控訴人主張のように株主権を表彰する有価証券である株券は没収の客体となるものと解するを相当とする。従つて上記判決で没収したのはたんなる紙片としての株券ではなく、株主権を表彰した株券であると解するを相当とする」（東京高判昭三二・四・二六下級民集八・八二三）

同判決は、また、没収株券に対する権利がいつ国に帰属するかについては、国が株券を適法に占有したときと解すべきであるが、予め株券が押収されて判決確定当時、検事がこれを保管していたのであれば、判決確定のときに、権利は国庫に帰属するとした【97】。

【97】「株主である権利を判決で没収した場合に、被控訴人はその判決が確定すれば当然没収の効力が生ずると主張するが、没収も株式についての権利の移転であるから、一方株式の性質からして株券の占有の移転があることを必要とし、他方刑訴法四九〇条、四九一条の規定の趣旨からみれば、刑訴法も没収の執行ということを認めているのであるから、株式に関しては、執行もないのに判決の確定によつて当然没収の効力が生ずるとはいえないと解するを相当とする。それで本件の場合に上記三会社の諸株式に対する没収の効力はいつ生じたのかというに、控訴人と被控訴人との間の関係を見れば、控訴人主張のように、名義書換を了したときと解する必要はなく、被控訴人が右諸株式の株券を適法に占有したときに没収の効力が生じたと解するを相当とする。没収の執行は、検察官によつてのみなされることは、刑訴法の規定からみて明らかなところであるが、本

件の場合には、右諸株式の株券は全部押収されていたものであることは上段で認定したところであるが、控訴人に対する上記刑事事件は旧刑訴法によつて処理されていたので、上記判決の確定した昭和二九年六月一三日当時には東京高等検察庁検事が保管していたことは証言及び乙第一号証によつて認めることができるから、没収の執行担当者である検察官が、右諸株式を占有していたと解するを相当とし、右諸株式については上記判決の確定した昭和二九年六月一三日に没収の効力を生じたと解するを相当とする。もつとも右乙第一号証の記載によれば、東京高等検察庁では昭和二九年一二月七日になつて初めて没収の手続をとり国庫に帰属させた旨の記載がなされているが、右は内部の事務的手続が遅れて同日なされたものと解することができるから、同号証の記載は上記認定判断の支障とはならない」（東京高判昭三二・四・二六下級民集八・八二三）。

一般に没収物は、執行によつてはじめて国庫に帰属するとされているところよりみて（団藤・刑法綱要三九七頁）、右判決は正しいものと思われる。

簡易裁判所判例

区裁判所判例

判例索引

著者紹介

河《かわ》 本《もと》 一《いち》 郎《ろう》 神戸大学助教授

総合判例研究叢書 商 法（7）

昭和36年5月25日 初版第1刷印刷
昭和36年5月30日 初版第1刷発行

著作者 河 本 一 郎

発行者 江 草 四 郎

印刷者 春 山 治 部 左 衛 門

東京都千代田区神田神保町2の17
発行所 株式会社 有 斐 閣
電話九段(33)0323・0344
振替口座 東京370番

印刷・共立社印刷所 製本・株式会社高陽堂

総合判例研究叢書 商法(7)
(オンデマンド版)

2013年1月15日　発行

著　者　　河本　一郎
発行者　　江草　貞治
発行所　　株式会社 有斐閣
〒101-0051　東京都千代田区神田神保町2-17
TEL　03(3264)1314(編集)　03(3265)6811(営業)
URL　http://www.yuhikaku.co.jp/

印刷・製本　　株式会社 デジタルパブリッシングサービス
URL　http://www.d-pub.co.jp/

AG488

ISBN4-641-91014-6　　Printed in Japan